ISBN 978-0-265-19668-7
PIBN 11046604

English
Français
Deutsche
Italiano
Español
Português

www.forgottenbooks.com

Mythology Photography **Fiction**
Fishing Christianity **Art** Cooking
Essays Buddhism Freemasonry
Medicine **Biology** Music **Ancient Egypt** Evolution Carpentry Physics
Dance Geology **Mathematics** Fitness
Shakespeare **Folklore** Yoga Marketing
Confidence Immortality Biographies
Poetry **Psychology** Witchcraft
Electronics Chemistry History **Law**
Accounting **Philosophy** Anthropology
Alchemy Drama Quantum Mechanics
Atheism Sexual Health **Ancient History**
Entrepreneurship Languages Sport
Paleontology Needlework Islam
Metaphysics Investment Archaeology
Parenting Statistics Criminology
Motivational

mit

einer kurzen Ueberſicht der Einführung und Verbreitung
derſelben, beſonders im nördlichen Europa.

Nebſt

einer kurzen Darſtellung des gegen-
wärtigen Ganges

des

Woll = Handels.

Von

J. Ph. Wagner.

Berlin,

Inhalt.

I.

Die Einführung und Verbreitung der Merinos in Europa.

Die erste Einführung der Merinos, von welcher wir bestimmte Nachrichten haben, geschah bekanntlich im sechszehnten Jahrhundert unter dem Cardinal Ximenes in Spanien.

Ob diejenigen Schaafe auch Merinos gewesen sein mögen, welche schon einige Jahrhunderte früher, im Jahr 1356 unter Peter **IV.** von Arragonien nach der allgemeinen Pest, die damals Europa verheerte, aus England herbeigeholt wurden, ist wohl zu bezweifeln.

Das Geschichtliche der Weiterverbreitung und des späteren Zustandes der spanischen Merinos = Schaafzucht findet man in den befriedigendsten Nachrichten darüber in Volkmann's Reisen in Spanien, und zum Theil in folgenden, in's Deutsche übersetzten Schriften von Puente, Pluer, Dillon, Caranille, Bourgoing, Townsend, de la Borde, ferner in Randels neuerer Staaten=Kunde; Ehrmanns neuester Erdkunde; Spanien, wie es ist, und Spanien und die Spanier.

Die weitere Verbreitung der Merinos von Spanien aus in die übrigen europäischen Länder nahm erst mit dem achtzehnten Jahrhundert ihren Anfang.

1

Die Engländer versorgten sich zwar im Jahr 1450 im Gegensatz mit 3000 Stück aus Spanien, allein es ist, wie schon erwähnt, die Frage, ob schon damals Merinos in Spanien vorhanden waren. Auch läßt das Dasein einer verbesserten Art gemeiner Wolle am Nieder=rhein, namentlich in dem Fürstenthum Neuwied, auf die frühere Einführung einer verbesserten ausländischen Raffe schließen. Auch Sachsen und Schlesien besaßen vor der Einführung der Merinos bessere, als die gewöhnlichen Schaafe. Selbst König Friedrich II. versah die letztge=nannte Provinz noch im Jahr 1748 mit besseren Stäm=men. Allein dies waren immer noch keine Merinos.

Die erste Verpflanzung derselben von Spanien aus geschah im Jahr

1743 nach Schweden;

1763 nach Oestreich;

1765 kamen die ersten 200 Stück nach Sachsen als ein Geschenk König Carls III. von Spanien an den sächsischen Hof zur Wiederaufhülfe des erschöpften Staats;

1766 legte Daubenton neben verschiedenen Schaafarten aus Roussillon, England, Marocco und Tibet, auch einen Stamm Merinos zu Montbard, Büffons Landgut, an;

1775 kam ein Stamm Merinos nach Mercopail in Ungern;

1776 kamen 200 Stück nach Frankreich zur Vertheilung unter mehrere Privatbesitzer;

1778 kamen die letzten 200 Schaafe und 200 Stähre nach Sachsen;

1786 kamen 367 Stück beiderlei Geschlechts nach Frank=reich, auf die Domäne Rambouillet;

1786 kam ein kleiner Stamm nach Würtemberg;

1786 kamen 200 Schaafe und 100 Stähre kurz vor
König Friedrichs Tode nach Preußen;

1788 kam ein kleiner Stamm nach Anspach;

1793 kam ein Stamm nach Piemont;

1797 kamen 300 Stück nach Dänemark auf die Domäne
Esserum;

1802 kamen 1200 Stück für 36 Gutsherren nach Preußen, durch die Besorgung des jetzigen Ober-
präsidenten, Herrn Freiherrn von Vincke
Exzellenz; (1804—1805 wurden gegen 5000
langwollige Schaafe aus der Moldau nach
Südpreußen eingeführt.)

1804 zog ein Baron von Müller 2500 Stück Merinos
auf seine Güter in der Gegend von Odessa.

1807 kamen die ersten Merinos-Stähre in das Großherzogthum Weimar aus den Königl. Sächsischen
und Fürstl. Lichtensteinschen Heerden;

1815—1816 wurde zu Frankenfelde bei Wrietzen a. O. aus
verschiedenen französischen Stämmen die Kö-
nigliche Stammschäferei angelegt; sie betrug
damals 1083 Köpfe beiderlei Geschlechts.

1823 wurden mehrere 1000 Stück, unter andern aus
den Fürst-Lichnowskischen Heerden nach Rußland,
theils für Rechnung der Krone, theils für Rechnung von Privaten, ausgeführt;

1823 legte ein Herr von Saloz aus der Schweiz eine
Merinos-Heerde und zugleich eine Schäfer-Schule
in der Krimm an; 1827 zählte diese Heerde gegen
8000 Stück;

1824 kamen vermittelst Königlicher Unterstützung über
1825 10,000 Stück aus den Marken, Schlesien und
Sachsen nach Ostpreußen;

1827 wurden die Herzogl. Anh. Cöthenschen Besitzungen

in Podolien und Neu=Rußland mit Merinos=
Stämmen besetzt, welche sich gegenwärtig auf
12,000 Stück belaufen sollen.

Ob alle seit 130 Jahren aus Spanien bezogenen
Merinos von ursprünglich echtem Stamme gewesen sein
mögen, ist sehr zu bezweifeln. Der Cardinal Ximenes
verordnete die Vertheilung der Stähre im Lande umher
zur Verbesserung der eingebornen Raffen. Die Spanier
haben daher eben sowohl ihre Amerinados, als wir
unsere Veredelten. Gleicher=Weise können diejenigen
Merinos, welche in der neueren Zeit aus Frankreich
nach dem Norden gewandert sind, aus durchkreuzten
Stämmen in Frankreich herrühren, eben so wie Schaafe
aus Sachsen, Preußen und Oestreich, wenn sie nur
Merinos=Wolle tragen, als solche weiter verpflanzt
werden.

Daran ist nun auch bei der so leichten Umformung
des Schaaf=Geschlechts nicht viel gelegen, wenn nur die
Bedingung erfüllt wird, daß diejenige Wollart, welche
wir unter den vorhandenen suchen, unveränderlich fort=
gepflanzt werden kann, was also ein gewisses Alter der
grundsätzlich veredelten Generationen voraussetzt. Zudem
können wir nicht wissen, was für eine Varietät die ur=
sprünglichen Merinos in großen Heerden durchschnittlich
getragen haben mögen. Daß aber die für Sachsen
unter den Merinos in Spanien getroffene Auswahl
das Vorzüglichste aus alten Stämmen enthalten haben
müsse, was nur zu finden gewesen sein mag, beweiset
die Zuverlässigkeit ihrer Fortpflanzung unter sich und
auf fremden Raffen.

Von der Wolle der zuerst in Sachsen eingeführten
Merinos sind keine Proben mehr vorhanden.

Kurz nach der ersten Einführung der Merinos in

Sachsen und anderwärts, konnte es noch keine besonde=
ren Absichten oder sogenannte Tendenzen in der Merinos=
Zucht geben. Die Vorzüge dieser Wolle vor der ein=
heimischen waren so einleuchtend, und die höheren Preise
derselben so überzeugend, daß man sich mit dem bloßen
Besitz der Schaafe begnügte, ohne sich in eine Kritik
über ihre eigenen Unterscheidungen einzulassen. Die Lo=
sung war nur Rasse, ohne Prinzipien der Zucht. Hatte
eine Generation im Laufe der Veredlung nur das Aeußere
des Körpers und der Wolle erreicht, so wurde sie auch
schon, wie es auch anfänglich nicht anders sein konnte,
zur Fortpflanzung für tauglich erklärt. Geschlechtsregister
für die Schaafzucht waren noch nicht erfunden. Die
Generationen wurden oft nach der Anzahl der Jahre von
der ersten Veredlung an gezählt, und Niemand konnte
es so leicht einfallen, bei der Wahl eines Zucht=Stähres
auf zwei Exemplare zu stoßen, welche um 4 Generatio=
nen von einander verschieden waren. Hätte die churfürstl.
sächs. Regierung die spanischen Stämme lange Zeit hin
nicht unvermischt zusammenhalten lassen, so wäre viel=
leicht keine Spur mehr im Norden davon vorhanden.

Eben so wenig, wie die Leitung der Zucht, stand
auch die Haltung der Neulinge auf festen Grundlagen.
Die Folgen davon waren: schwierige Aufzucht, langwie=
rige Gemischtheit der Heerden und öfteres Verschwinden
angeschaffter Stämme.

Die Haltung der Heerden war im Allgemeinen nach=
lässig. Die Schaafe bekamen bald zu viel, bald zu
wenig, bald ungesunde Nahrung. Die an sich so sehr
gemischte Wolle wuchs noch dazu unregelmäßig, und
wurde mit Unreinigkeiten aller Art belastet.

Die Wäsche verdiente oft kaum den Namen, das

Abscheeren war nur ein Krützen, und so war die ganze
Darstellung der Wolle als Waare äußerst schlecht.

Endlich weckten die verschiedenen Wollpreise zwischen
Heerden von ohngefähr gleichem Schlage die Aufmerk=
samkeit der Besitzer. Zunächst befliß man sich einer
reinlicheren Herstellung der Wolle. Man sorgte für ge=
hörige Streue und Wäsche, für die Reinhaltung der
Scheerplätze, und für die Erhaltung des Zusammenhangs
des Vließes beim Scheeren und Verpacken. Allein, all'
dies Bestreben nach Verbesserungen fand in den wirth=
schaftlichen Einrichtungen, in örtlichen Beschaffenheiten,
in der Gewohnheit und Trägheit der Leute und selbst in
Vorurtheilen der Besitzer sehr große Hindernisse. So
schützte die Einrichtung der Raufen nicht vor dem Ein=
streuen des Futters; die gewöhnliche Weise zu waschen
ließ nicht allenthalben die Wäsche gleich gut gelingen;
zum Abscheeren der Merinos=Wolle fehlte es an passen=
dern Instrumenten. Alle diese Ursachen zusammen ge=
nommen ließen das bessere Verfahren nur langsam vor=
schreiten. Daher denn so große Verschiedenheiten der
Marktpreise zwischen ähnlichen Partien, indem es dem
Fabrikanten einen Unterschied macht, ob die Wolle unter
seinen Händen noch 20 oder 50 Procent bei der letzten
Reinigung verliert.

Zuletzt konnte es aber nicht fehlen, daß äußer=
lich gleichbeschaffene Partien von ohngefähr gleicher
Quantität dennoch zu bedeutend verschiedenem Werthe ge=
schätzt wurden. Der Grund davon lag in der Verschie=
benheit der Natur der Wolle selbst.

Die Besitzer trachteten nun mehr nach höherer Fein=
heit der Wolle und Ausgleichung der Vließe.

Dieses Bestreben mußte aber um so öfterer miß=
lingen, je weniger noch die Erfahrungen vom Gange der

Veredlung und die subtileren Kenntniſſe von den Eigenſchaften eines Zuchtſtammes bekannt waren. Nur ſo
viel hatte man bald davon eingeſehen, daß die Umwandlung einer Raſſe keinen mathematiſchen Stufen-
gang verfolge, daß die Vermehrung der väterlichen
Eigenſchaften an der Nachzucht, oder die Verminderung
der mütterlichen ſich nicht verhielte wie gerade $\frac{1}{2}, \frac{1}{4}, \frac{1}{8}$,
ſondern daß die Natur Vor- und Rückſprünge mache,
und zuletzt das männliche Geſchlecht doch die Oberhand
behalte.

Die Ausfuhr deutſcher Merinos-Wolle nach England betrug im Jahr 1814 drei und eine halbe Million
Pfund Wolle, während aus Spanien und Portu-
gal neun Millionen Pfund in England eingeführt
wurden.

II.
Schriften über Merinos-Schaafzucht
seit 1800 bis 1817.

Diejenigen Schriften, welche bis zum Jahr 1817 über Schaaf- und Wollzucht bekannt waren, bestehen in folgenden nach ihrer ohngefähren Zeitfolge:

1) über Schaafzucht im Allgemeinen:

1750. Haftfer,	1816. v. Angyalffi,
1760. Daubenton,	Lossius,
1796. Fink, Ober = Amts-	Hubert,
mann,	Ryß,
1802. Pictet,	Schmalz Erfah-
1802. Lasteyrie,	rungen,
1802. Tessiers,	Eine in Magdeburg
1804. Culley,	ohne Namen des Ver-
1809. Friebe,	fassers über Schaaf-
1811. Staatsrath Thaer,	Rassen und Haltung
1815. Petri,	erschienene Schrift
1816. Rudolph André,	war lesenswerth.

2) über Wolle insbesondere:

1809. Köhler,	1816. R. André, eben-
1811. St. R. Thaer in	falls in dem zuvor
bem oben angeführ-	erwähnten Werke
ten Werke,	desselben.
1812. Sturm,	

III.

Anfang meiner Schaaf-Sortirung.

In den zuvor angegebenen Schriften war aber noch Nichts über die Art und Weise des Wachsens der Wolle, und nur sehr Weniges über den Einfluß der Nahrung nach Art und Menge, über die äußeren Einwirkungen, besonders der Temperatur, über den Einfluß des Wachsens des Körpers, des Zeugens und Gebärens, der Krankheiten und der Erschöpfung der Kräfte auf die Wolle enthalten. Worüber man aber hauptsächlich noch im Dunkeln schwebte, betraf die Wahl der tauglichsten Merinos-Wollart selbst, abgesehen von einem bestimmten Feinheits-Grade. Es waren zwar die Züchter auf den Märkten mit Fehlern und Mängeln der Wolle allmählich bekannt geworden. Dies waren aber blos verneinende Bedingungen. Es fehlte noch immer an der Bestimmung der positiven Unterscheidungs-Merkmale derjenigen Wollart, welche der Fabrikation am besten zusage, ohne Rücksicht auf zufällige Beschaffenheiten derselben. Natürlich mußte es denn auch der Mehrheit der Züchter an der nöthigen Erfahrung fehlen, wie die zu bestimmende Wollart zu gewinnen und fortzupflanzen, zugleich aber auch, in wie weit sie mit Vortheil zu erzielen sei. Endlich fehlten zur gegenseitigen Verständigung genauere Zergliederungen der Eigenschaften der

Wolle im Allgemeinen, und der Merinos-Wolle insbesondere, als man bis dahin kannte.

Als ich mich im Jahr 1816 entschloß, die Muste-
rung der Schaaf-Heerden zum Zweck ihrer Verbesserung
zu meinem Berufsgeschäft zu machen, fand ich die erste
Gelegenheit dazu bei dem Herrn Staatsrath Thaer auf
Möglin und zu Frankenfelde, in der Königlichen Stamm-
Schäferei.

Mit der Schaaf- und Wollzucht gänzlich unbekannt,
und ohne alle Anleitung darüber konnte ich mich nur
an diejenige Kenntniß halten, welche ich von den Eigenschaften der Wolle im gewaschenen Zustande hatte.

Das nächste Haupt-Augenmerk, welches ich mir damals noch bei der Untersuchung der Heerden vorsetzen
konnte, war die Aufhebung ihrer Ungleichartigkeit. Zu
dem Ende wurden die Schaafe nach Verschiedenheit der
Feinheits-Grade der Wolle, so weit sich diese erkennen
ließen, unter Berücksichtigung der Gleichartigkeit der
Vließe, in Klassen gebracht.

Die Anzahl der Wollsortimente im Handel war
nicht allenthalben gleich, folglich auch ihre Benennungen
sehr relativ. Wäre dies aber auch nicht der Fall gewesen, so konnte doch für die Zucht keine größere Anzahl von Schaafklassen, als 4, in Anwendung gebracht
werden, wenn sich eine jede derselben von der andern nach
festen Merkmalen noch unterscheiden sollte. Bei einem
gleichartigeren Vließe entschied die mehr sich annähernde
oder entfernende Beschaffenheit der äußersten Theile über
die erste und zweite Klasse, und bei ungleichartigeren
Vließen bestimmte das Vorhanden- oder Nichtvorhanden-
sein einer gleichartigen Wolle auf der vorderen Hälfte
des Körpers die dritte oder vierte Klasse.

Bei diesem Verfahren wurde wenigstens so viel erreicht, daß im Durchschnitt das Bessere erkannt und
leichter erhalten wurde. Behält man die vorgedachten
Unterscheidungs=Merkmale im Auge, so läßt sich leicht
denken, daß in jede Klasse bei der so geringen Anzahl
derselben eine unendliche Menge von Verschiedenheiten
unter den Individuen fallen mußten, die sich immer
wieder in bessere und schlechtere bis auf die zwei letzten
Stücke sondern ließen, von denen keines dem andern
gleich war. Daher die Verschiedenheit zwischen gleich-
namigen Klassen in mehreren Schäfereien, die von Manchen gar nicht begriffen werden konnte. Zudem kam
z. B. die verschiedene Länge der Wolle noch gar nicht
in Berücksichtigung, außer bei den Zuchtstähren.

IV.

Beschaffenheit

mehrerer der vorzüglichsten norddeutschen Merinos- und veredelten Heerden, welche jetzt noch vorhanden sind, aus dem Zeitraum von 1817 bis 1822.

Im gewaschenen Zustande.

Nach dem Gewicht in u.

Abtheilungen.

Im Jahr	1te	2te	3te	4te	5te	
Möglin. 1817 —	334.	368.	473.	505.	210 —	Abfall.
1818 —	319½.	355.	456½.	485.	131 —	

Die damaligen Preise der Wolle waren ohngefähr:
rücksichtlich 190. 160. 130. 90. 60 Rthlr. für den Ctr.

Jahr	1te	2te	3te	4te	5te Abthl.
Frankenfelde. 1817.	742.	1170.	645.	312½.	360½ Pfd.

Unter dieser aus 7 verschiedenen französischen Merinos = Stämmen zusammengesetzten Heerde war an keine Einheit der Wolle zu denken. Selbst die einzelnen Stämme besaßen sie nicht. Unter den mit Chanteloup bezeichneten herrschte meistens noch eine gemeine Veredlung mit grober Lenden=Wolle.

Unter dem Namen Murat befanden sich schwach gehaltene Schaafe mit mürber Wolle. Uebrigens hatten Viele darunter Aehnlichkeit mit feinwolligen sächsischen.

Unter denen aus Rambouillet gab es nur einige Wenige mit ausgezeichnet schöner Wolle. Die meisten aber trugen eine mittelmäßig feine, harte und nach den Enden zu, schlechte Wolle.

Die von Malmaison zeigten die größte Gleichför=migkeit im Haar, damals bei einer etwas mehr als gewöhnlichen Länge. Die Zeit der letzten Schur war nicht bekannt.

Unter Laferté fand sich die höchste Feinheit; die unter Dailly aber hatten nicht nur sehr feine Wolle, sondern auch das ausgeglichenste Vließ.

Die so bekannt gewordenen Möncey's standen in hoher Veredlung; sie hatten zwar eine zarte, aber noch mehr flach gebogene, und dabei ungleichhaarige Wolle, welche sich auch sowohl in Frankenfelde, als anderwärts wieder verloren hat.

Von sämmtlichen Stähren waren die wenigsten tauglich.

Alle diese verschiedenen Stämmchen aber waren mit Wolle gut besetzt. Das damalige Wollgewicht von 3½ Pfd. auf das Stück konnte indessen, wegen der Un=bestimmtheit der letzten Schurzeit und bei einer fast zu starken Ernährung, von welcher viel Schweißfett zurück=blieb, über den Woll=Ertrag nicht entscheiden. Derselbe hat sich im Durchschnitt genommen erst in der Folge als vortheilhaft bewährt.

In solchen Staaten, welche noch Schaafe einfüh=ren oder weiter versetzen wollen, würden die Directionen wohl thun, die künftigen Stämme nicht nach den örtlichen Abtheilungen fortzuführen, sondern sogleich das Bessere aus diesen herauszuheben, und mit den dazu passenden Stähren, entweder insgesammt, oder in wenigen nach der Natur der Wolle geschiedenen Abtheilungen abgesondert und, wie die sächsischen Stammheerden, unvermischt zu erhalten zu suchen.

Zustand mehrerer Heerden vom Jahr 1818.

Nach der Stückzahl.

Schlesien.	1te	2te	3te	4te Abtheilung.
Polschildern.	100.	200.	200.	54. Stammheerde
Auf den Vorwerken	:	..	1000.	sächf. Urspr. —
Pantenau.	1257.	2169.	1572.	250.

Nach dem Wollgewicht.

Westpreußen. Subkau:

ein Theil .. =	572$\frac{1}{2}$.	712.	474$\frac{1}{2}$.	432$\frac{1}{2}$. Abfall 231 u.
Abtheil.	1.	2.	3.	4. gering. Qualit.
Belschwitz.	125. 219.	240.	248. 449.	372. 848 u.

Nach der Stückzahl

unmittelbar nach der Schur.

Finkenstein.	180. 384.	618.	239.	289.

1819.

	1te	2te	3te	4te Abtheilung.

Nach der Stückzahl.

Pommern. Plathe.	6.	79.	484.	640.
Kniphof.	37.	622.	620.	28.

		1te	2te	3te	4te Abthl.
Schlesien. Ober=glogau.}		290.	876.	1475.	1457.
Gröbing und Casimir.}		111.	303.	408.	224.
Zobten bei Löwen=berg.}		87.	175.	328.	120.
Schönwalde bei Oppeln.		126.	317.	233.	172.

Nach dem Wollgewicht.

Abtheil.	1.	2.	3.	4.	Abfall.
Resewitz.	127.	150.	178.	44 —	84 Stein.
Blumen.	65.	92.	191.	155 —	Pfd. mit Ausschl. der Stährwolle.

1 8 1 9.

Abtheil.	1.	2.	3.	4.

Nach der Stückzahl.

		1.	2.	3.	4.
In der Mark.	Schönhausen bei Tanger=münde. Beide Güter.}	267.	646.	600.	209.
	Neuharden=berg.}	15.	204.	580.	371.
Hannover.	Hardenberg	182.	546.	908.	529.

1 8 2 0.

Abtheilung	1.	2.	3.	4.

Großherz.
Mecklenburg=
  Schwerin.

Nach dem Gewicht in Centner.

	1.	2.	3.	4.
Ivenack, Wolle von 3 Schuren	1607.	2756.	3577.	73.

Nach der Stückzahl.

	1.	2.	3.	4.
Herzberg	107.	545.	784.	422.
Rittendorf	84.	320.	463.	143.
Gülz	106.	249.	239.	6.
Wolde	80.	376.	781.	875.

Gr. Herz. Meck=
  lenburg=Strelitz.

	1.	2.	3.	4.
Rotclow	204.	477.	240.	32.
Lübbersdorf	133.	293.	265.	73.

1 8 2 1.

Abtheilung	1.	2.	3.	4.

Litthauen.   Nach der Stückzahl.

	1.	2.	3.	4.
Blumberg	132.	287.	163.	—

Steinort:
mit 400 Stück
aus französischen
Stämmen, welche
zusammen bleiben
und zum künftigen
Hauptstamm die=
nen sollten.

	1te	2te	3te	4te Abtheil.

Auf 20 anderen Gü=
tern in Litthauen
fanden sich ins=
gesammt . . 1284. 3552. 4432. 4204.

Ostpreußen.
Auf 16 verschiedenen
Gütern fanden sich
insgesammt . . 593. 1947. 3586. 2616.

1 8 2 2.

Westpreußen.
Auf 33 verschiedenen
Gütern fanden sich: { 823. 2159. 3203. 1710
               nebst 431 — 5te Abtheil.

V.

Einige Bemerkungen über andere Merinos-Stämme außerhalb der Königl. Preuß. Monarchie.

So war also um die Zeit von **1817** bis **1822** der Zustand der Schaaf=Veredlung im nördlichen Deutsch=land außerhalb Sachsen. Der größere Theil der ver=edelten Schaafe fiel in die beiden untersten Abtheilungen, folglich auch unter den jedesmaligen Durchschnittspreis der Marktpreise.

Das südliche Europa hatte damals in der Merinos=Zucht und Veredlung keine Vorsprünge vor dem nörd=lichen. In Frankreich, der Schweiz und Italien zeich=neten sich nur einige wenige Stämme aus. Nur in Oestreich machten die Kaiserlichen und Erzherzoglichen Heerden, in Ungarn mehrere ansehnliche, darunter auch die Stammheerden der größesten europäischen Schäfereien, die des Fürsten von Esterhazy, in Mähren und Oestreichisch=Schlesien aber fast alle Heerden rühmliche Ausnahmen. Hieher gehören auch die Großherzoglich=Badenschen, von welchen ein Stamm auf einer Königl. Bairischen Do=mäne in Schlesien stand.

Diejenigen von den ältesten Sächsisch = spanischen, welche sich schon immer ausgezeichnet hatten, waren außer den Königlichen Stammheerden die zu Klipp=hausen, Dahlen, Börlen, Schloß Rochsburg, Gersdorf,

Machern, Dreischkau, Ehrenberg, ohne etwa andere hie=
her gehörigen ausschließen zu wollen.

Wolle und Schaafe hat Schreiber dieses seit dem
Jahre 1812 selbst kennen lernen.

Viele derselben kamen in ihrer Wollart schon ziem=
lich überein. So mußten z. B. nach Rochsburg Stähre
von Klipphausen gekommen sein. Allen aber fehlte da=
mals diejenige Uebereinstimmung in der Wolle, welche
in der neueren Zeit allen Merinos= und hochveredelten
Heerden zu geben möglich geworden ist. Eine jede Heerde
hatte ihre besonderen Eigenthümlichkeiten. Man merkte
Nüancen, die noch keinen Namen hatten. Die Unter=
schiede im Körperbau fielen mehr ins Auge. Doch theil=
ten sie schon den Vorzug mit einander, daß sich selten
noch ein Stück mit Haut=Wülsten fand.

———

VI.

Meine allmähligen Erfahrungen in der Schaafzucht.

Der nothwendigen Veränderung der Wolle jun=
ger Schaafe mit dem Wachsthum des Körpers wurde
ich nach Verlauf eines Jahres inne, nachdem ich in
Frankenfelde die vorzüglichsten Jährlings = Stähre für
einige Herrschaften in Schlesien um vieles Geld erstan=
den hatte, und sie im nächsten Jahre fast allenthalben
für unfähig erklären mußte. Niemand wußte es damals
besser. Einer dieser Stähre kostete über 100 Thaler.

Die Anzeichen der Lämmer zu ermitteln war
schwieriger, noch mehr aber die Entdeckung der Ursachen
des so öfteren Fehlschlagens der Paarung in dem
Aeußeren der Zuchtthiere, wenn nichts Geschichtliches
von denselben vorhanden war.

Um die Lämmer bald nach der Geburt beurtheilen
zu lernen, versah ich solche, welche irgend eine Auszeich=
nung an sich trugen, mit besonderen Zeichen, und unter=
suchte sie das Jahr darauf. Und so gelangte ich schon
frühzeitig zu Wahrzeichen am Lamm, als man noch lange
nachher die Möglichkeit in Zweifel zog, mit einiger Wahr=
scheinlichkeit die künftige Artung desselben vorherbestim=
men zu können.

Schwieriger aber blieb die Entdeckung der Ursachen
fehlgeschlagener Paarungen, in so weit sie aus

dem Aeußeren der Bedeckung mit Wolle entnommen wer=
den konnte. Abgesehen vom Alter einer Raſſe treibt
auch häufig die Natur ihr Spiel. Unwiderlegbare und
oft ſehr auffallende Beweiſe dafür liefert uns jedes
Zwillings = Paar. Schreiber dieſes iſt ſogar, aber nur
einmal, daß eine Zwillings = Lamm mit ſchlichten groben,
und das andere mit kurz gelockten Härchen vorgekom=
men. In der Regel aber lag die Schuld am Stamm=
Paare, und in den meiſten Fällen auf der männlichen
Seite.

Nicht lange nachher, als ich angefangen hatte, mich
mit der Muſterung der Schaafheerden abzugeben, folg=
ten Beſitzer und Nichtbeſitzer meinem Beiſpiel. Es wur=
den in Zucht und Haltung verſchiedene Anſichten ge=
bracht, oder vorkommende Erſcheinungen verſchiedentlich
ausgelegt. Daher fand ich nach Verlauf einiger Jahre
zur Erhaltung des bis dahin genoſſenen Zutrauens für
nöthig, dem landwirthſchaftlichen Publikum meine Er=
fahrungen und gewonnenen Anſichten, ſo weit ſie bis
dahin reichten, öffentlich mitzutheilen, in meinen „Bei=
trägen zur Kenntniß der Wolle und Schaafe." So
dürftig auch der Inhalt derſelben noch war, ſo verbrei=
teten ſie ſich doch über Gegenſtände der Woll=Zucht und
Woll=Anwendung, die bis dahin wenig oder noch gar
nicht zur Sprache gebracht waren. Dieſe Schrift er=
langte den Beifall des competenteſten Richters damaliger
Zeit. Ein Rezenſent aber achtete ſie kaum einer Er=
wähnung werth. Was von ſeinem Urtheil zu halten ſei,
bewies eine Behauptung deſſelben drei Jahre ſpäter, nach
welcher es zwei Haupt=Merinos=Wollarten gäbe, die
eine, welche von unten auf wüchſe, und den auf die
Haut gefallnen Staub mit ſich in die Höhe nähme, die
andere, welche von obenher anſetzte, und als Beweis den

Staub auf der Haut liegen ließe. Seit der Erscheinung dieser erwähnten Fiebel fing aber Mancher über Schaafszucht und Wolle zu schreiben an, der wohl ohne sie noch eine Zeitlang gewartet hätte.

VII.

Schriften über Merinos-Zucht seit 1820 bis 1827.

Kurz nach der Erscheinung meiner Beiträge und später-hin bis zum Jahr 1827 kamen über Schaafzucht und Wolle folgende Schriften zum Vorschein:

1820. Lucock, aus dem Englischen übersetzt. Ihr In-halt reicht bis 1806. Das Original könnte aber vielleicht später erschienen sein, indem der ver-storbene Staatsrath Thaer desselben mit keiner Silbe erwähnt.

1823. Perrault de Jotemps, Baron.

1823. Korth.

1823. Die Verhandlungen des Leipziger Woll=Convents.

1823—1824. Freiherr von Ehrenfels.

1825. Schmalz.

1826. Koppe.

— von Schütz.

— Röver, Elsner.

Abhandlungen über Wolle und Schaafzucht während dieser Periode in den Mögliner Annalen und den ökonomischen Neuigkeiten.

VIII.

Meine weiteren Erfahrungen.

Noch war nicht ermittelt, wie man den Fehlern des äußeren Wuchses, des Verknotens und Zwirnens der Wolle, so weit es etwa noch in der Rasse läge, ferner begegnen könne, indem die Wahl dichter besetzter Zucht= thiere allein diese Hindernisse der Anwendung nicht zu heben vermochte.

Eben so wenig war unter den verschiedenen Meri= nos=Wollarten diejenige festgestellt, welche der Fabrika= tion und zugleich der Zucht am meisten zusage, indem auch bei der wünschenswerthesten Feinheit und aller übri= gen untadelhaften Beschaffenheit dennoch in der Natur der Wolle zu wesentliche Unterschiede übrig blieben, welche der einen Art vor der andern Vorzüge gewähr= ten, ohne daß die Elementar=Verhältnisse davon bekannt waren.

Endlich war man im Allgemeinen damit noch gänz= lich unbekannt, wie jede besondere Art der Nahrungs= mittel in einer täglichen bestimmten Menge auf die Wolle wirke.

Was die nähere Untersuchung der Merinos=Wolle in Rücksicht der aufgestellten Forderungen betraf, so fand sich schon in den Jahren 1821 und 1822 bei mir die Ueberzeugung, daß nur die Merinos=Wolle, deren Längen= Verhältniß bei mittelhohen Bogen ohngefähr wie 1 zu

1½ steht, diejenige sei, welche sowohl der Fabrikation als der Oekonomie der Schaafhaltung am meisten zusage, indem sie jedes Feinheits-Grades anderer Merinos-Wolle empfänglich sei, die möglichste Dichtheit auf der Haut zulasse, zugleich die erwähnten Fehler des äußeren Wuchses am wenigsten befördere, vor allen aber unter übrigens gleichen Verhältnissen die sanfteste Elastizität mit sich führe.

Mein ganzes Bestreben ging von nun an darauf hin, diese Wollart allenthalben, wo ich Heerden zu klas-sifiziren hatte, oder zur Berathung zugezogen wurde, hervorzuheben und zu empfehlen.

Am allerschwierigsten blieb die Beobachtung des Einflusses der verschiedenen Arten von Nahrungsmitteln in ihrem verschiedenen Zustande auf die Wolle, nachdem mir die Folgen des Mehr oder Weniger schon früher kenntlich geworden waren.

Bei der gleichzeitigen Mitwirkung so vieler inneren und äußeren Ursachen auf Körper und Wolle läßt sich jede einzelne um so schwieriger und seltner entdecken, je seltner es vorkömmt, daß eine Erscheinung sich öfter wiederholt, während dem alle andern Umstände sich verändert haben, eine Bedingung, welche doch schlechterdings erforderlich ist, wenn auf eine Verbindung zwischen Ursache und Wirkung mit einiger Wahrscheinlichkeit soll geschlossen werden können. Auf so viele darauf Bezug habende Fälle konnte ich gar keine Rücksicht nehmen, wenn mir entweder nur muthmaßliche oder gar absichtlich entstellte Angaben gemacht wurden.

Endlich nach jahrelangem Bestreben gelangte ich denn doch dahin, auch diesen Naturgesetzen so weit auf die Spur zu kommen, als zur Lenkung des Unterhalts einer Heerde zur Nothdurft erforderlich ist.

In Betreff der Schaafwäsche stellte ich die mannich=
faltigsten Versuche an, und fand endlich für Nothfälle
die anwendbarsten Methoden. Kein Handgriff selbst blieb
mir unbekannt.

Die Schaaf=Scheeren suchte ich zu verbessern. Es
ist nur Schade, daß die zweite verbesserte Form, nach
meiner Angabe, in Deutschland theurer zu stehen kömmt,
als eine gute englische Lichtscheere im Detail=Verkauf.
Bei diesen Scheeren sind die Scheide=Klingen von den
Bügeln abgesondert, und werden in Knie eingeschoben,
welche abwärts im rechten Winkel stehen, so daß die
Biegung dieser Schaaf=Scheere Aehnlichkeit mit der einer
Kelle hat. Die vielerlei Versuche und das öftere Miß=
lingen der Proben haben mir viele Kosten verursacht.
Wenn übrigens jede corrupte Abänderung einer Sache,
eine neue Erfindung heißen soll, so giebt diese Scheere
Gelegenheit genug dazu.

Meine Beschäftigung würde den Besitzern der Heer=
den nur einen vorübergehenden Vortheil, und sogar, beim
Verkauf der Wolle nach Schaaf=Klassen oft einen augen=
blicklichen Nachtheil gebracht haben, wenn ich nicht zu=
gleich anschauliche Belehrung damit verbunden hätte, so
daß Jedermann mit gesunden Augen und gesundem Ver=
stande für sich allein in der Zukunft dieselben Beobäch=
tungen anstellen, und dieselben Grundsätze nach Erfor der=
niß der Umstände abgeändert anwenden und befolgen
lassen konnte.

IX.

Einiges über den Ankauf für Ostpreußen.

In diese Periode fällt nämlich die so ansehnliche Unterstützung, welche Se. Königl. Majestät von Preußen der Provinz Ostpreußen theils an Schaafen, theils in Gelde zu demselben Zweck Vorschußweise zukommen ließen. Die Veranlassung dazu bewirkte Se. Exzellenz der Herr Geheime-Rath und Oberpräsident von Schoen.

Der wirkliche Ankauf in der Mark, in Schlesien und Sachsen betrug gegen zwölf Tausend Stück. Es geschah in den Jahren 1824 und 1825, wo für ein gewöhnliches März-Schaaf in Sachsen 10 bis 12 Thlr. bezahlt wurden. Demungeachtet kam der Durchschnitts-Werth der nach Ostpreußen gelieferten mit Einschluß der bedeutenden Unkosten nicht so hoch zu stehen.

Da mir vom General-Bevollmächtigten, dem Herrn Obrist von Brünneck, ein Theil dieses Geschäfts übertragen wurde; so ist es vielleicht manchem Leser nicht uninteressant, darüber hier eine ausführliche Mittheilung zu finden. Im Jahr 1824 kaufte ich und suchte aus in der Gegend von Magdeburg zu Groß-Wanzleben unter 480 Stück 192 zu 7 Thlr; zu Gröningen unter 125 — 100 zu 6 Thlr.; zu Kloster Gröningen unter 600 — 200 zu 6 Thlr.; zu Etgarsleben unter 150 — 41 zu $4\frac{1}{4}$ Thlr.; zu Schneitlingen unter 330 — 300 zu $5\frac{1}{4}$ Thlr.; zu Ermsleben unter 250 — 200 zu $6\frac{1}{2}$ Thlr.;

zu Willerode unter 140 — 75 zu 5 Thlr.; zu Giebichen=
ſtein unter 517 — 168 zu 4¼ Thlr.; in den Herzogthü=
mern Anhalt zu Schirau unter 242 — 134 zu 7¼ Thlr.;
zu Moſigkau unter 75 — 50 zu 7 Thlr.; ebendaſelbſt
unter 80 — 38 zu 4½ Thlr.; zu Märzin unter 80 — 41
zu 3½ Thlr.; zu Weihſand unter 160 — 80 zu 6 Thlr.;
unter 80 — 21 zu 5 Thlr.; im Lauf 49 zu 6 Thlr;
im Königreich Sachſen zu Frankenhauſen unter 192 —
127 zu 3⅞ Thlr.; zu Poſchwitz unter 185 — 129 zu
5½ Thlr.; zu Kitſchen unter 60 — 41 zu 3 Thlr.; zu
Bockwitz 10 Stück zu 3 Thlr.; im Jahr 1825 in
Schleſien zu Triebelwitz unter 70 — 65 zu 2 Thlr.
26 Sgr.; zu Blumen unter 70 — 50 zu 6 Thlr.; zu
Jacobsdorf aus einem unbeſtimmten Haufen 4 Stück
zu 6 Thlr.; zu Gelſchau unter 600 Stück 196 zu 7 Thlr.
und 142 zu 6 Thlr.; zu Oberſteinsdorf aus dem Gan=
zen 100 Stück zu 7 Thlr.; zu Wenigrachwitz unter 400
Stück 104 zu 7 1/12 Thlr.; zu Peterwitz aus einem un=
beſtimmten Haufen 94 zu 5 Thlr.; zu Conitz desgleichen
36 Stück zu 7 Thlr.; zu Heinersdorf desgleichen 75 zu
5 Thlr.; zu Petersdorf 54 Stück zu 9 Thlr.; zu Neu=
dorf bei Löwenberg desgleichen 60 zu 5¼ Thlr.; in der
Gegend von Magdeburg und Halberſtadt: zu Kloſter
Burchardi aus einem unbeſtimmten Haufen 100 Stück
zu 8 Thlr.; zu Gröningen desgleichen 125 Stück zu
6 Thlr.; ebendaſelbſt aus 160 — 110 zu 7 Thlr.; zu
Groß=Alsleben aus einem unbeſtimmten Haufen 104
Stück zu 11 Thlr.; zu Kloſter Gröningen desgleichen
178 zu 6 Thlr.; zu Gröningen noch aus 140 — 50
Stück zu 9 Thlr.; zu Schneitlingen aus 650 — 200
Stück zu 7 Thlr.; im Herzogthum Sachſen zu Skeuditz
aus dem Haufen 21 Stück zu 8 Thlr. und 14 Stück
zu 8 Thlr.; zu Klein Liebenau desgleichen 144 Stück

zu 9¼ Thlr.; zu Skeuditz noch 12 Stück zu 7 Thlr.; zu Pakisch unter 80 — 40 Stück zu 9 Thlr.; zu Friedersdorf unter 160 — 50 zu 9 Thlr.; ingleichem 12 Stück zu 8 Thlr.

Die ganze Stückzahl der Schaafe, welche ich nach dieser Auseinandersetzung zu der für Ostpreußen bestimmten Masse in Auftrag gekauft hatte, belief sich auf 4136 Mutterschaafe, ausgesucht unter mehr als 6000, zu dem Durchschnitts=Preise von 6 Thlr. 13 Sgr. mit Ausschluß der Unkosten.

Dazu kamen 123 Stähre aus folgenden Schäfereien: 8 Stück aus Paretz zu 25 Thlr.; 2 aus Weihsand zu 15¼ Thlr.; 32 aus Pöttnitz, ausgesucht unter 139 Stück, zu 15 Thlr.; 12 aus Rogau zu 27 1/12 Thlr. im Durchschnitt; 3 aus Pantenau zu 35 Thlr.; 6 aus Gelschau zu 20 Thlr.; 16 aus Petersdorf zu 35 Thlr.; ebendaselbst noch 9 zu 35 Thlr.; 6 aus Obersteinsdorf zu 26½ Thlr.; 6 aus Osdorf zu 25 Thlr.; noch 13 aus Paretz zu 24 Thlr.; 1 aus Falkenberg zu 20 Thlr.; 1 aus Friedersdorf zu 35 Thlr.; 4 aus Behlendorf zu 15 Thlr.; 4 aus Wollup zu 25 Thlr.; in Allem also 123 Stähre im Durchschnitt zu 24½ Thlr. Außer den zuvor verzeichneten Ankäufen habe ich die Aushebung mehrerer andern durch den Herrn General=Bevollmächtigten erhandelten Partien vollzogen.

Die Auswahl dieser und aller übrigen Schaafe geschah, so viel nur irgend möglich, nach den im Vorhergehenden aufgestellten Grundsätzen, die sich auf Erfahrung stützten, wenn auch die Wolle in Rücksicht der Feinheit unterschiedlich ausfiel. Dies ließ sich bei einem Ankauf so großer Massen in so kurzer Zeit, bei oft sehr beſchränkter diſponibler Anzahl, und zu ſo verſchiedenen Preiſen billiger Weiſe nicht anders erwarten.

Was daran bei der Uebernahme fehlte, würde nicht bezahlt.

Die Unkoſten konnten bei ſo bedeutenden Maſſen nicht unbedeutend bleiben. Eben ſo wenig waren Anſteckungen unterwegs zu vermeiden. Viele Stücke kamen daher mit Räude oder Blattern an. Auch Klauen=Uebel fand ſich unter ihnen.

Die Vertheilung der Schaafe geſchah durch andere Bevollmächtigte. Das Schlimmſte war, daß nicht jedem Haufen ein erfahrner Schäfer mitgegeben werden konnte, woran die Provinz Mangel litt, wie zum Theil jetzt noch.

Der schlechteſte Haufen von ohngefähr 400 Stück, welche von Niemand verlangt wurden, kam endlich mit allem behaftet, was nur ein Schaaf befallen kann, im Schlag= und Schneewetter nach Jaeſchkendorf. Der Beſitzer, Herr Reichs=Graf von Finkenſtein, erfreut ſich gegenwärtig aus dieſem Stamme einer der ſchönſten Heerden in der Provinz.

Ohngefähr zwei bis drittehalb Jahre nach der Einführung dieſer Schaafe, für welche alſo kaum noch die Streue gemacht war, wunderten ſich Schriftſteller, die zugleich Oekonomen waren, darüber, daß man in den wirthſchaftlichen Verhältniſſen der Empfänger der Schaafe noch keine Veränderungen bemerken könne. Den Referenten konnte es nicht unbekannt geblieben ſein, daß die meiſten der vertheilten Haufen nur 50 bis 200 Stück betrugen. Dergleichen fördert man aber zu Tage, wenn es den Schreibern an gemeinnützlichem Stoffe fehlt.

Die Folgen konnte für eine im gegenwärtigen Welthandel ſo iſolirt ſtehende Provinz nicht anders als ſeegensreich ſein. Nicht nur, daß die meiſten Land=

güter ihre Hauptrente aus den Schäfereien liefern, sondern die Preise der Wolle haben sich in den letzten
Jahren den Marktpreisen von Breslau und Berlin näher
gestellt, als bei der diesseitigen Entfernung von den
westlichen Consumtions=Oertern zu erwarten war.

X.

Schriften über Schaafzucht seit 1827 bis 1834.

Gegen das Ende des Jahres 1827 trug ich meine seit
1820 weiter gesammelten Mittheilungeu und Erfah=
rungen unter dem Titel „Ueber Merinos=Schaaf=Zucht"
zusammen. Diese Schrift enthielt nähere Auseinander=
setzungen der verschiedenen Merinos=Woll=Arten und die
genaueste Auszeichnung der für Anwendung und Zucht
gleich nützlichsten derselben, ferner meine Erfahrungen
über den Einfluß der Nahrung auf die Merinos=Wolle,
mit näheren Nachrichten über Wasch= und Scheer=
Methoden.

Von Rezensenten wurden Zweifel erregt, ob ich
wohl seit 1820 bis 1827 außerhalb Ostpreußen hätte
Erfahrungen sammeln können, worüber ich mich wohl
nicht zu rechtfertigen habe; auch wurde mir theilweise
Mangel an Ordnung und Unverständlichkeit zugeschrie=
ben. In praktischen Fächern ist es für Unstudirte schwer,
gelehrten Anforderungen in jener Beziehung zu genügen.
Vor mir hatte es aber noch Niemand versucht, das Na=
turhistorische mit den technischen Forderungen und den

Grundsätzen der Zucht und Haltung zu vereinbaren, und nach der Erscheinung meiner beiden Schriften finde ich in anderen eben keine verbesserten Methoden dazu. In Hinsicht auf Verständlichkeit will ich nicht in Abrede stellen, daß mancher Satz, mancher Ausdruck hätte ausführlicher sein können. Indessen habe ich doch aus dem Inhalt mehrerer anderen seitdem erschienenen Schriften ersehen, daß man mich doch so ziemlich verstanden hat.

Nach 1827 bis Oktober 1834, da ich dieses schreibe, sind weiter folgende Schriften über Woll= und Schaaf=Zucht erschienen:

„Die Züchtung der Merinos",
bei Unzer in Königsberg;

Benedict, Magdeb., H.;

Herrmann, Freiberg, Wagner;

v. Ruffin, München, Finsterlin;

Frh. v. Puttlitz, Berlin, Nicolai;

Petri, Wien, Schaumburg u. Comp.;

von Buttlar, Marburg, Krieger;

Leibitzer, Leipzig, Wigand;

von Hammerstein, Zelle, Schulb.;

Löhner, Prag, Calve;

Elßner, Berlin, Cosmar;

Putsche, Leipzig, Baumgärtner (Encyclop.);

Block, in seinem Werk üb. Landwirthschaft; — vorzüglich lesenswerth;

Westphal, Berlin, über Wollsortiren;

Schmalz, über Thier=Veredlung;

Schmalz, 1833, Königsberg, Gebrüder Bornträger.

Von dieser letzten Schrift hieß es in der Ankündigung, trotz ihres geringen Umfangs dürfte sie die vorzüglichste sein, welche man bis jetzt über veredelte Schaaf=Zucht besitze. Nach der Vorrede ist sie zunächst für den Schäfer=Unterricht bestimmt. In dieser Bezie=

hung wird ihr der ihr gebührende Werth nicht abge-
sprochen werden können. Um aber auch dem angehenden Züchter zu genügen, dazu fehlt ihr noch Manches,
indem über die nothwendigsten Prinzipien über Schaaf-
und Wöll-Eintheilung, so wie über die Erfahrungs-Sätze
über Zucht, Hütung und Fütterung kürzer weggeschritten
wird, als der Zweck auch eines kürzest gefaßten Lehr-
buches erfordert. Auch dürfte manche Ansicht des Herrn
Verfassers nicht getheilt werden. Die nächste Eintheilung aller vorhandenen Merinos z. B. als die allgemeinste unterscheidet zwei Hauptraßen, die Infantados
und Elektorals. Der ersten wird als in der Regel ein
klebriger Schweiß und die schlechtere Wolle zugeschrieben, mit Ausschluß der Kräftigkeit. Die Infantado-
Heerde machte aber nur eine Raße der Merinos aus,
und da die Leonesische Wolle die vorzüglichste war, worunter auch die Infantados gehörten, so können unter
jener Benennung nicht alle Merinos verstanden werden.
Aber auch als Raße betrachtet kommen derselben die
oben erwähnten Eigenschaften weder ausschließlich noch
in der Mehrheit der Individuen zu. Die Veranlassung
dieses Irrthums stammt noch aus einer Zeit her, da
man meistens nur veredelte und sich selbst überlassene
Heerden vor Augen hatte.

Das Gegentheil erweiset sich so wohl aus dem Geschichtlichen der ersten sächsischen Merinos-Stämme, welche
zugleich aus der Infantado-Heerde entnommen waren,
als aus anderen Stämmen in anderen Ländern. Alle
Merinos-Heerden in der Provinz Leon enthielten, was
die Wolle betrifft, einen Durchschnitt dessen, was bei
sich selbst überlassenen Heerden die Natur in ihren Spiel-
Räumen giebt; auch ist es nicht erwiesen, daß eine der-

selben diejenige Raſſe, welche in kurzen Löckchen geboren wird, ausſchließlich beſeſſen habe.

Es iſt ferner kein Grund vorhanden, die beſte Merinos-Wolle nicht auch den Original-Raſſen zugeſtehen zu
wollen, wenn ſie auch gegenwärtig in Spanien nicht
mehr zu finden ſeyn ſollte; denn wir finden ſie außerhalb auf jeder Spiel-Art des Körpers.

Die Unterſcheidung der Merinos in zwei Haupt-
Klaſſen, eine jede mit einem beſonderen Körperbau und
zugleich mit einer beſonderen Wollſorte, fällt daher
gänzlich weg. Es verurſacht nur Verwirruug der Begriffe, wenn ein Anfänger auf einer beſchriebenen In-
fantado-Raſſe eine beſchriebene Elektoral-Wolle findet,
und ſo umgekehrt.

Der für die Wollzucht am beſten geeignete Körper
mit der beſten Wolle iſt aus allen Leoneſiſchen Stämmen herauszuheben, und weiter zu verbreiten, wo ſich
nur jetzt noch dergleichen finden mögen.

Die Vorzüge der ſächſiſchen Stämme lagen nicht
in beſonderen Eigenthümlichkeiten beſonders gehaltener
Raſſen; denn heute noch finden ſich Spuren körperlicher
Abweichungen, die ſie an ſich trugen; ſondern der Grund
lag in der Wahl der Individuen.

Das Verdienſt der Erhaltung und Verbreitung haben
die Nachbarländer der Krone Sachſen und der Aufmerk-
ſamkeit einzelner Beſitzer von Herrſchaften und Gütern
zu verdanken.

Endlich iſt die Eintheilung aller Merinos-Wolle in
gedehnte und gedrängte, ſobald es ihre Anwendung in
der Fabrikation betrifft, unzureichend, indem dieſe weder
das zu ſehr Gedehnte noch das zu ſehr Gedrängte verlangt, und ſelbſt die Oekonomie der Merinos-Zucht bei
dieſer letzten Forderung am meiſten betheiliget iſt.

Diese Auseinandersetzungen werden angehenden Schaaf=Züchtern schon genügen, um sich nicht von dem Lesen anderer Schriften über Schaaf= und Wollzucht abhalten zu lassen, wozu die Ankündigung des Buches wohl verleiten könnte.

Denn noch ist keine davon dem Praktiker entbehrlich, welcher sich von Allem genau unterrichten will, am wenigsten diejenigen, deren Verfasser sich die Ernährung der Schaafe und die Einrichtung einer Schäferei im Einklang mit den übrigen Bestandtheilen einer Landwirthschaft zum Hauptgegenstand ihrer Untersuchungen gemacht haben. Hierher gehören namentlich die Werke von Petri, Koppe und Block.

Fast alle die genannten Schriften weichen in den Angaben des erforderlichen Nahrungs=Bedarfs von einander ab. Zur Beurtheilung derselben werden die Anmerkungen dienen, mit welchen die hiernächst folgende Uebersicht über die nunmehr in der Schaaf=Zucht festgestellten Erfahrungen und Grundsätze begleitet sind.

XI.

Die nunmehrigen Grundsätze und Erfahrungen über Rassen, Woll=Art und Leitung der Zucht.

Nach Vorausschickung des Vorhergehenden lassen sich nunmehr diejenigen Grundsätze und Erfahrungen zusammenstellen, nach denen gegenwärtig die Schaaf=Zucht betrieben wird.

Die allgemeinste Eintheilung der europäischen Schaaf=
Arten in Niederungs= oder Marsch=Schaafe; in gemeine
Höhen=Schaafe und in Merinos rechtfertiget sich
als die natürlichste, sowohl durch die Verschiedenheit
des Körpers und der Lebens=Art, als der Wolle, die sie
tragen. Ohne uns bei den körperlichen Unterscheidungs=
Merkmalen dieser verschiedenen Schaaf=Arten länger auf=
zuhalten, wollen wir gleich zu den Unterscheidungen der=
selben nach ihren verschiedenen Woll=Arten übergehen.
Unter den in dieser letzten Hinsicht verschiedentlich ge=
machten Eintheilungs=Versuchen bleibt folgende Methode
die einfachste oder natürlichste.

Wir haben Schaafe mit schlichter und krauser Wolle.
Die schlichte theilt sich in lange und kurze. Die lange
schlichte wird von Niederungs=Schaafen, die kurze schlichte
von gemeinen Höhenschaafen getragen. Zu den ersten
gehören die Flanderschen, Texelschen, Ostfriesischen, Eider=
städtischen und ähnliche Rassen. Die gemeinen Höhen=
schaafe zerfallen ebenfalls wieder nach ihrem Aufenthalt
und ihrer Nahrung in von einander abweichende Rassen.
So z. B. das Haidschucke in der Lüneburger Haide
macht keine besondere Art, sondern nur eine Rasse von
Höhenschaafen aus, deren Wolle sich untereinander,
wenn auch verschieden, doch ähnlich bleibt.

Die krause Wolle zerfällt in regelmäßig und un=
regelmäßig gekräuselte. Jene gehöret ausschließlich den
Merinos an; die unregelmäßig gekräuselte aber entsteht
theils während der Kreuzung männlicher Merinos mit
gemeinen Schaafen, theils durch Fortzucht unvollstän=
dig gebliebener Kreuzungen, theils findet sie sich auch
bei gemeinen Schaaf=Arten, deren Ursprung weiter nicht
bekannt ist.

Noch giebt es von den Marsch=Schaafen hin und

3 *

wieder eine Raſſe, deren Wolle zwar regelmäßige, aber
ſehr weitläufige Wellen ſchlägt, und zwiſchen der ganz
ſchlichten und der feingekräuſelten Merinos⸗Wolle in der
Mitte ſteht. Sie kömmt ſelten vor, und hat in der An⸗
wendung keine beſonderen Vorzüge, außer daß die Lamm⸗
Wolle derſelben zu Hüten verbraucht wird.

Unter echter Merinos⸗Wolle wird eine ſolche ver⸗
ſtanden, welche, abgeſehen von ihrer Feinheit, auf einem
geſunden, gehörig und gleichmäßig genährten erwachſe⸗
nen Körper am einzelnen Haar regelmäßige oder gleich⸗
förmige Windungen oder Bogen zeigt, ſo weit ſie nicht
durch äußere Eindrücke entſtellt ſind, deren Haare ferner
in Geſtalt, Länge und Durchmeſſer möglichſt überein⸗
ſtimmen, und weder auf den edleren noch unedleren
Stellen des Vließes mit fremden vermiſcht ſind. So⸗
genannte Stichel⸗Haare finden ſich indeſſen, wiewohl
ſelten und in ſehr geringer Menge, in ganz vortrefflichen
Merinos⸗Vließen. Wo ſie ſich aber ſichtbar häufig zei⸗
gen, da halte man dergleichen Individuen von der Paa⸗
rung zurück, indem ſie ſich ſehr leicht, wie Unkraut, ver⸗
mehren, in der Fabrikation äußerſt hinderlich, und durch
die Bearbeitung nur wenig zu entfernen ſind.

Jedes Individuum, das die oben beſchriebene Wolle
trägt, iſt ein Merinos gleichviel, wie der Körper be⸗
ſchaffen iſt, ob mit oder ohne Hörner, mit größerem
oder kleinerem Kober. Nur die übrigen Hautfalten
ſtehen unſeren Abſichten im Wege, und deshalb ſind
diejenigen unter ihnen zur Fortpflanzung beſonders zu
ergreifen, welche ſich darin am wenigſten auszeichnen,
wie dies denn auch im nördlichen Deutſchland faſt all⸗
gemein ſchon geſchehen iſt. Dieſe letzten begreift man
gegenwärtig unter der beſonderen Benennung Elektoral⸗

Schaafe, in ſo fern ſie zugleich die beſte Merinos=Wolle tragen.

Das Aeußere eines Schaafes entſcheidet nie über die Wolle, ſobald es nicht offenbare Hinderniſſe an Körper und Wolle zur Schau trägt, welche unſeren Abſichten im Wege ſtehen, eben ſo wenig, als ein ſtarker Schweißtrieb über die Natur des Schweißes.

Die Eintheilung aller Merinos=Wolle darf nicht zunächſt nach Feinheits=Graden, ſondern ſie muß nach ihrer Geſtalt geſchehen. Zur Bezeichnung derſelben nach beſtimmten Größen = Verhältniſſen giebt ſie uns ſelbſt Gelegenheit an die Hand. Wir kennen den Spielraum des Längen=Verhältniſſes der Ausſtreckung des Merinos=Haares zu ſeiner natürlichen Geſtalt oder Höhe, in der es wächſt. Halten wir dieſen Maaßſtab feſt, ſo kann nie ein Mißverſtändniß entſtehen. Man verſteht ſich in der Ferne und auf immer, ſo lange Merinos= Wolle nur noch in Gebrauch bleibt.

Daß bei der Merinos = Wolle in ihrer Anwendung zu Tuch das mittle Längen=Verhältniß, welches ſich aus mittelhohen oder Halbkreis=Bogen ergiebt, und ohngefähr wie 1 zu 1½ ſteht, das vorzüglichſte ſei, iſt bereits geſagt, und in meiner erwähnten Schrift vom Jahr 1827 ausführlich dargethan worden.

Iſt die hier beſchriebene beſte Woll=Art gegeben, ſo behält bei der Wahl der Zuchtthiere diejenige Bogengeſtalt den Vorzug, welche den Ausſchnitt einer Kreislinie ohne Ecken oder andere Abweichungen zeigt, und deren Wände oder Schenkel am meiſten in gleicher Ebene liegen. Man erkennt dies am leichteſten, wenn man ein Merinos=Haar ſeitwärts auf eine Spiegelfläche legt. Oft ſtehen die Schenkel gegeneinander etwas ſchräg. Dies hat zu der Vorſtellung einer Schrauben=

form des Merinos = Haares Veranlaffung gegeben, und
Schreiber dieses ist in der Encyclopädie des Hrn. Putsche
namentlich zurecht gewiesen worden. Hätte aber der
Verfasser des Auffatzes, Herr Heusinger, die Sache, be=
sonders an hochgebogener Wolle genauer untersucht, so
würde er gefunden haben, daß das Merinos=Haar sich
über eine mehr oder weniger convex gedachte Hälfte
eines Cylinders hin und her schlängelt, jede einzelne
Biegung oft die Form einer Krempe annimmt, sich aber
nie um die gedachte Axe selbst windet, sondern auf der=
selben krummen Fläche immer wieder zurückkehrt, gerade
so, als wenn man über einen Finger einen Faden hin
und her schlängelt, ohne diesen um jenen herum zu
wickeln. Diese Sache ist nicht so gleichgültig, als sie
scheinen dürfte. Denn je weniger schräg die Schenkel
stehen, oder je gerader sie in derselben Fläche liegen,
desto höher ist in der Regel die Sanftheit der Elastizität,
welche bekanntlich nie die absolut größte Höhe erreichen
darf, deren die Woll=Art im Durchschnitt wohl fähig wäre.

Das zunächst auf die Gestalt der Bogen folgende
Erforderniß ist ihre Uebereinstimmung unter sich
von dem einen Ende des einzelnen Haares bis zum an=
dern. Da aber diese Gestalt nach der Spitze zu von
äußeren Eindrücken, und auf den übrigen Theilen des
Haares von der Nahrung so sehr abhängt, so läßt sich
ohne weitere Kenntniß der vorhergegangenen Umstände
von einer Ungleichförmigkeit nicht sogleich auf die Un=
tauglichkeit des Zuchtthieres schließen. Nur verdienen
unter übrigens gleichen Verhältnissen in demselben Hau=
fen diejenigen den Vorzug, deren Bogen bis zur Spitze
hin, besonders, je länger sie dem Freien ausgesetzt ge=
wesen sind, die wenigsten Veränderungen zeigen.

Hierauf kömmt die Uebereinstimmung aller

Haare unter sich in Länge, Durchmesser und Gestalt zur Berücksichtigung. Eine ungleiche Länge ist bald zu entdecken, und die Gleichheit der Haare im Durchmesser hängt, dies lehret die Erfahrung, in der Regel von der Uebereinstimmung der Form unter allen Haaren ab. Auf diese Eigenschaft lassen sich aber Haare in Masse, eben so wenig durch einen bloßen Blick in die Wolle auf der Haut untersuchen, sondern die Haare müssen unter sich von einander getrennt und einzeln mit einander verglichen werden. Jede Ungleichhaarigkeit bringt wieder dasselbe hervor, und dies in einem um so höheren Grade, je mehr der weibliche Theil ebenso beschaffen ist. Wenn der Fabrikant erklärt, eine gemischte Wolle sei ihm lieber, so darf der Züchter es dennoch nicht dabei bewenden lassen. Erstlich beweiset sich der Vorzug einer gleichartigeren Wolle durch die höheren Preise, welche in der Regel dafür bezahlt werden, und dann wäre auch ohne Gleichartigkeit der Haare keine Verbesserung der Zucht möglich. Hauptsächlich verdienen der Rücken vom Nakken bis zum Schweife so wie der Bauch auf diese Eigenschaft untersucht zu werden.

Der Vortheil eines Vließes mit möglichst gleichen Außentheilen springt eher in die Augen. Durch die Untersuchung der Gleichartigkeit mehrerer Haare auf einzelnen Stellen ergiebt sich auch die Gleichartigkeit der Wolle auf den verschiedenen Körpertheilen. Bei der verschiedenen Einrichtung der körperlichen Hülle fast auf jeder Stelle ist eine gemessene Gleichheit aller Theile eines Vließes vernünftiger Weise nicht zu erwarten. Soll aber die Nachzucht gelingen, so dürfen der Hinterkopf und die Lenden bis auf die Leisten und die Gelenke keine schlichten Haare tragen. Wenn auch alle übrigen Theile frei davon sind, so finden sich dergleichen doch

noch oft am Hinterkopf. Wenn übrigens die Verschie=
benheit der Wolle auf dem Kreuze von der auf den
besseren Theilen in der Feinheit der Bogen und des
Durchmessers ohngefähr nur um $\frac{1}{16}$ differirt, so ist der
Zuchtstähr unter Voraussetzung der übrigen Erfordernisse
anzunehmen. Die Wolle artet alsdann gut fort. Die=
ses ist ebenfalls eine gewisse Erfahrung.

Soll eine Merinos=Zucht sicher geleitet werden, so
müssen erst alle zuvor erwähnten Forderungen befriediget
sein, bevor an die Feinheit gedacht wird.

Diese ergiebt sich aber so ziemlich schon von selbst,
wenn das gesunde unbewaffnete Auge nur Gleichheit
unter den Haaren entdeckt. Daß diese auch für die In=
strumente nie vollkommen gleich sein werden, dies läßt
sich aus anderen Erscheinungen in der Natur=Erzeugung
vermuthen. Bei einer jeden uns gleichartig vorkommen=
den Wolle aber läßt sich schon voraussetzen, daß sie
mit unter die feinste gehört. Eine nähere Ueberzeugung
davon gewähret uns die Untersuchung ihrer Gestalt und
ihres Durchmessers.

Die Diskussionen über die Zulässigkeit der Biegun=
gen des Merinos=Haares als Feinheits=Maaßstab schei=
nen endlich zum Stillstande gekommen zu sein. Auch
nicht einen einzigen gegründeten Beweis hat man da=
gegen aufbringen können. Daß sie nicht bei allen Ar=
ten von Wolle anwendbar gefunden wurden, war natür=
lich. Schlechte Wolle hat keine Kräuselungen, das
Lammhaar der Merinos ebenfalls nicht. Bei diesem
finden sich dieselben erst nach der ersten Schur. Der
veredelten Wolle fehlen die regelmäßigen Kräuselungen.
Nur an echter Merinos=Wolle mit gleichförmigen Bie=
gungen geben diese einen Feinheits=Messer ab, und zwar
schon beim Jährling. Denn bei der nächst darauf fol=

genden dritten Schur, die Lammſchur mitgerechnet, fin=
det man ſchon mit dem vergrößerten Wuchſe des Haa=
res auch eine Veränderung der Biegungen. Sie zeigen
ſich nämlich größer, ohngefähr im Verhältniß wie 4 zu
5 auf gleicher Länge, und bleiben nach vollendetem
Wachsthum des Körpers ſo ſtehen.

Nur eine ſchnellwechſelnde und eine dürftige Nah=
rung kann die Biegungen des Merinos=Haares, deren
es von Natur fähig iſt, unterdrücken. Aber bei verbeſ=
ſerter Nahrung zeigen ſie ſich auch wieder.

Dieſe Biegungen dienen alſo nicht bloß zur Beur=
theilung der Feinheit der Wolle, ſondern auch zur Beur=
theilung der Raſſe und der Haltung.

Optiſche Inſtrumente dieſer Art zeigen überhaupt
nur an einzelnen Haaren einzelne Theile. Will man
einen Durchſchnitt haben, ſo muß man ein Haar auf
mehreren Stellen meſſen, und zur Beurtheilung einer
Mehrzahl von Haaren mehrere darunter vornehmen.
Einen weit zuverläſſigeren und bequemeren Maaßſtab
aber giebt die Beſchaffenheit der Biegungen. Sie zei=
gen den Grad der Gleichheit, Feinheit und zum Theil
den der ſanften Elaſtizität zugleich an. Uebrigens iſt in
Betreff der Feinheit der Wolle zu bemerken, daß dem
Fabrikanten über einen gewiſſen Feinheitsgrad hinaus,
z. B. von 26 Bogen an, weit mehr an den übrigen
Beſchaffenheiten der Wolle, als an einer höheren Fein=
heit gelegen iſt. Hauptſächlich gilt dies die ſanftere
Elaſtizität. Da dieſe aber von der Geſtalt der Wolle
und von der Nahrung zugleich abhängt, ſo muß der
Eigenthümer ſchon bei der Wahl der Zuchtthiere auf die
in gerader Linie ſtehenden Bogen als die erſte natürliche
Grundlage der Sanftheit ſehen, indem bei ſo vielen an=

deren Einwirkungen auf die Sanftheit oder Sprödigkeit der Wolle das Gefühl nicht zuverlässig genug ist.

Bei der weiteren Eintheilung der Merinos=Wolle nach Feinheits=Graden lassen sich zwei verschiedene Prinzipien anwenden. Entweder kann die Scala nach vorkommenden Seltenheiten, oder ohne dergleichen Ausnahmen bloß nach dem Durchschnitt entworfen werden, der sich unter Anwendung der größten Aufmerksamkeit und der besten Mittel bei einer Mehrheit solcher Heerden ergiebt, und nach welchem sich für die Praxis noch eine namhafte Menge von Individuen erzielen läßt. Z. B. wir entwerfen einen Maaßstab von 3 bis 16 Grad Dollond, oder von 40 bis 12 Biegungen herab, und theilen diese Abstufungen in 4 oder mehrere Abtheilungen, so würden die äußersten derselben auf beiden Enden nur Ausnahmen enthalten. Wir hätten also eine erste Abtheilung oder mehrere derselben fast ohne Gegenstände in der Wirklichkeit.

Für die Praxis, besonders bei der Zucht kommen folgende Abtheilungen mit der Wirklichkeit eher überein, wenn wir die Endpunkte von 6 bis 11 Grad Dollond, oder von 15 bis 30 Biegungen setzen, und die Zwischen=Abtheilungen, von denen für die Zuchtleitung noch zwei genügen, nach Verhältniß bestimmen.

Die Begriffe von **Vielwolligkeit** und **Dichtheit** werden oft noch mit einander verwechselt. Das Gewicht eines Vließes im gereinigten Zustande wird bedingt durch seine Größe und durch die Länge und Menge der Wollhaare. Diese letzte aber für sich genommen hängt von dem gegenseitigen näheren oder entfernteren, oder, was dasselbe ist, von dem dichteren oder dünneren Abstande der Haare auf der Haut ab. Bei der Wahl verdienet das dichter besetzte Vließ unter übrigens glei=

chen Umständen den Vorzug, indem ein dichterer Haar-
stand mehr für Rasse und Kräftigkeit spricht, auch für
Körper und Wolle größeren Schutz gewährt.

Der schicklichste Körperbau zur Erzeugung
eines nutzbaren Vließes, wenn die Gleichartigkeit möglichst erreicht ist, ist derjenige, bei welchem zwischen der
Tiefe des Vorder- und Hintertheils die wenigste Verschiedenheit herrschet.

Das letzte Haupterforderniß des Körperbau's ist
Kräftigkeit. Schwächlichkeit führet in der Regel einen dünneren Stand der Haare, leichtere Empfänglich-
keit für Krankheiten und weniger Fortpflanzungs- und
Lebenskräfte mit sich. Der schwächere Bau zeichnet sich
besonders durch einen schärferen Rücken, schmäleren Widerriß, schwächeren Hals und schmäleren Hinterkopf aus.
Der stärkere Körper zeichnet sich aus durch das Gegentheil von diesem Allen, zugleich aber auch durch eine
dichtere und ausgebreitetere Bewachsenheit des Körpers,
und insbesondere durch einen nicht unterbrochenen Woll-
Besatz des Hinterkopfs, an welchem man keine Queer-
Furche wahrnimmt.

Was die Erkennung der guten Rassen betrifft,
so sind keine anderen Kennzeichen, als die die Beschaffenheit der Wolle auf dem Schaaf mit sich bringt, vorhanden,
wenn nicht noch im Folgenden ein schwacher Beitrag dazu kömmt. Es ist nämlich der Schein der Wolle nicht
ganz zu übersehen, wie er sich auf dem Körper des
Schaafes uns darstellt. Ueberblickt man oberflächlich
eine Heerde, so wird das eine Stück ein schwärzliches
oder geschwächt ein schwärzlich graues Ansehen haben,
während ein anderes nur gelblich trüb oder lehm-
artig erscheint. Bei näherer Untersuchung wird man
finden, daß in der Regel die bessere Wolle mit dem er-

ſten Schein verbunden iſt. Eine ähnliche Erſcheinung
finden wir, wenn wir das Bließ auf dem Körper des
Schaafes ſcheiteln. Das eine wird ſeine Wolle in einem
hellern, das andere in einem trüberen Scheine zeigen.
Iſt nun die Gelegenheit vorbereitet, die Stammpaare
nachzuſuchen, ſo wird in der Regel der hellere Schein
von einer edleren Mutter herrühren. Doch iſt dieſe Art
von Beurtheilung nur auf Individuen anwendbar, welche
in demſelben Haufen von gleichem Alter ſind, und einer=
lei Nahrung und übrige Haltung genoſſen haben.

Was Stähre insbeſondere anlangt, ſo darf der
Mangel an Hörnern kein Hinderniß ihrer Wahl ſein.
Nur vermeide man es, Stähre zu nehmen, deren Hör=
ner keine völlen zweimaligen Windungen, oder gar die
erſte noch nicht erreicht haben, wenn ſie erwachſen ſind.
Schon ein Jahr nach der Geburt läßt ſich die Anlage
des Hörnerwuchſes beurtheilen.

In Rückſicht der Verbindung zweier Individuen
zur Paarung gelten folgende Sätze auch für die Woll=
Erzeugung als unumſtößlich:

1) Vom männlichen Geſchlecht geht Alles aus. Die
   Vererbung der Wolle deſſelben iſt ſo getreu, daß
   man abweichende Stellen von 3 — 4 Quadrat=
   Zoll an der Nachzucht auf derſelben Stelle wie=
   derfindet;

2) daß das weibliche Geſchlecht keine Eigenſchaften,
   folglich auch keine Fehler des männlichen um=
   wandelt;

3) daß die Umwandlung ungemeſſene Vor= und Rück=
   ſchritte macht, aus denen ſich wenig allgemeine
   Regeln für die erſten ziehen laſſen; und daß ſie
   um ſo langſamer von ſtatten geht, je verſchiedener
   die gegenſeitigen Eigenſchaften ſind;

4) daß die Vorſchritte der Umwandlung zuletzt die Oberhand behalten, ohne welches keine vollſtän= dige Veredlung möglich wäre.

Daraus fließen folgende Zuchtregeln: a) man ge= brauche keinen Stähr, welcher irgend einen auffallenden Fehler hat; b) man vereinige nicht einerlei Fehler von beiden Seiten, dünn mit dünn, lang mit lang, klein mit klein u. ſ. w.; c) man verbinde aber auch nicht zu ſehr entgegengeſetzte Eigenſchaften, zu lang mit zu kurz; ſehr dicht mit ſehr dünn; ſondern d) man ver= einige ſo viel wie möglich annähernde Eigenſchaften mit einander.

Nur ein Punkt, welcher nicht ſo leicht ins Auge fällt, kann bei der Wahl der Zuchtthiere nicht genug zur Berückſichtigung empfohlen werden. Er betrifft den gleichmäßigen Abſtand der Haare. Daß ein un= gleicher Abſtand das Strängen und Zwirnen herbeiführt, und beſonders bei dünnem Stande alle anderen Fehler des Wuchſes in den Spitzen der Haare mit ſich führet, iſt bekannt. Es neiget ſich aber alle Merinos=Wolle da= hin, auch bei dem dichteſten Stande ſich in Nadeln zu formiren. Man bemerkt dies ſogleich, wenn man die Wolle auf der Haut ſcheitelt. Diejenigen Stähre nun, welche den größten Hang zeigen, ihre Wolle ſo zu ge= ſtalten, dürfen bei der Einzelpaarung durchaus nicht mit ähnlichen Mutterſchaafen verbunden werden, indem alsdann dieſe Richtung der Haare, welche nur in der beſonderen Hautbildung ihren Grund haben kann, im= mer mehr zunimmt. Dergleichen Entdeckungen gewäh= ret nur die mühſame Leitung der Einzelpaarung. Jene iſt eine der wichtigſten in der Merino's = Schaafzucht. Meine eigene Ueberzeugung davon ſelbſt bei der unbe= deutendſten Neigung der erwähnten Art unter zwei Zucht=

thieren habe ich den aufmerksamen Beobachtungen des Herrn Alfen auf Drewshof bei Elbing, wie so manche andere Erfahrung zu verdanken.

Indessen darf man die Forderungen an Merinos in Betreff des gleichmäßigen Abstandes der Haare nicht auf das Aeußerste treiben wollen, indem es nur höchst selten Exemplare giebt, in deren Wolle bei der Scheitelung das unbewaffnete Auge keine Zwischenräume entdecken könnte. Es kömmt also hier nur auf das Mehr oder Weniger an, wenn man freie Wahl hat.

Die Beurtheilung der Merinos = Lämmer in Bezug auf Wolle steht im Allgemeinen fest. Die glattgebornen haben den Vorzug, und unter diesen solche, welche selbst am Hinterkopf noch frei von längeren Haaren sind.

Ob die Haut überall gut bewachsen ist, oder nicht, lehret der Augenschein durch Vergleichung des einen mit dem andern. Auf demselben Wege findet man auch das feinere und dichter besetzte. Ein genauer Beobachter kann selbst aus der Art, wie diese Löckchen gewunden sind, wenn er sich darüber etwas anmerkt, durch Vergleichung mit der Jährlings = Wolle desselben Schaafes, im Voraus manche Beschaffenheit der künftigen Wolle erkennen lernen, so z. B. das künftige Knoten aus der festeren Windung des Löckchens auf dem Lamm. Indessen lassen sich keine allgemeine feste Regeln zu dergleichen genauen Untersuchungen angeben.

Das künftig stärkere Schaaf unterscheidet sich vom schwächeren, abgesehen von der Größe, durch breiteren Widerriß und Rückgrat, so wie durch einen stärkeren Hals und Kopf, durch einen ununterbrochenen Haarbesatz am Hinterkopf und durch gerade Beine.

Bei der Auszeichnung der Lämmer findet also eine

doppelte Wahl statt, erstlich eine große nach der Wolle unter den oben bemerkten Berücksichtigungen, und eine kleine nach der Beschaffenheit des Körpers und seiner Besetzung mit Wolle. Diese Untersuchung muß acht bis zehn Tage nach der Geburt des Lammes stattfinden. Nur kann sie nicht auf schwach geborne und auf solche angewendet werden, deren Mütter sie nicht gut oder gar nicht ernähren können.

Wenn ein Besitzer im ganzen Jahre weiter keine Zeit hat, nach seiner Heerde zu sehen, so versäume er nur nicht, wenn es irgend möglich ist, bei der Auswahl der Lämmer zugegen zu sein, und diese mit einem besonderen Zeichen versehen zu lassen. Die anderen dürfen aber auch weder beim Mutterhaufen noch irgendwo in ihrer Unversehrtheit geduldet werden, sonst wird jede Disposition zum Theil oder ganz verfehlt.

Bei großen Heerden, welche nicht zur Bockzucht bestimmt sind, über welche der Umständlichkeit wegen keine Spezial-Register geführt werden, unterläßt man aber noch eine Bezeichnung, welche weit wichtiger ist, als das Klassifikations-Zeichen nach der augenblicklichen, oft nur anscheinenden Beschaffenheit der Wolle selbst. Es ist nicht die der Jahrgänge, sondern die Kenntlich-machung der Generationen. Unter zwei übrigens dem Scheine nach gleichen Schaafen verdienet doch das von einer älteren Generation den Vorzug. Wie sollen sich die Generationen aber kund geben, wenn es an Merkmalen fehlt! Man sollte nicht glauben, daß Jahrgänge für Generationen gehalten werden könnten, und doch geschieht es. Mancher kann nicht gleich die Möglichkeit begreifen, wie zwei nur um einige Jahre verschiedene Individuen, aber um 4 bis 6 Generationen von einander entfernt, noch in derselben Heerde zusammen-

treffen können, und doch ist dem so, wie ich in der Zeit=
schrift für Schaafzucht von 1833 in einer leicht faßlichen
Zusammenstellung bewiesen habe.

Eine Bezeichnung der Generationen wird in der
Art angelegt und fortgeführt, daß in jeder für sich be=
stehenden Mutter=Heerde alle Lämmer von den vorhan=
denen Müttern, so viele sie deren auch noch späterhin
zur Welt bringen, mit 1 bezeichnet werden, Alles, was
nach einigen Jahren von Nr. 1. fällt, mit 2, die Nach=
zucht von 2 mit 3 und so fort. Jedes Lamm aber,
dessen Mutter nicht entdeckt werden kann, bekömmt kein
solches Zeichen. Es versteht sich übrigens von selbst,
daß die Bezeichnung mit großer Aufmerksamkeit gesche=
hen muß, indem ein Schaaf aus der ersten Generation
noch fortfahren kann, Lämmer zu bringen, wenn ein
junges aus der 4ten bis 5ten Generation ebenfalls da=
mit anfängt.

Sind Zucht= oder Woll=Heerden auf diese Art be=
zeichnet, so fällt es nicht schwer, die Generation zu be=
stimmen, aus welcher die Zuchtstähre sollen genommen
werden. Denn nicht eine jede schlägt ein, indem der
Erfolg der Paarung ungünstig gewesen sein kann.

Die Bezeichnung der Jahrgänge mit einer
veränderten Art von Zeichen ist ebenfalls nöthig. Ent=
weder kann ungünstige Witterung das Wachsthum oder
die Ernd te behindert, oder es können Krankheiten ge=
herrscht haben, wodurch auf einige Jahre hin eine merk=
liche Schwäche unter den Alten und der Nachzucht zu=
rückgeblieben sein kann.

Beim Ausmerzen folgt alsdann auf die Schwäch=
linge die älteste oder niedrigste Generation.

Um die Einheit der Wolle möglichst zu befördern,
sucht man Stähre, welche in der beschriebenen Art von

Wolle möglichst übereinstimmen und wechselt mit denselben nicht zu oft. Denn jeder neue Stähr bringt
auch bei noch so großer Uebereinstimmung eine neue
Schattirung in die Wolle.

Die weiteren Bedingungen der Nutzung einer Schäferei liegen in der Haltung.

XII.

Die nunmehrigen Grundsätze und Erfahrun-
gen über die Ernährung.

Die Ueberzeugung von der Nothwendigkeit einer größeren Ausdehnung der Viehzucht in der Landwirthschaft,
als die Dreifelder-Wirthschaft in der Regel gestattet, hat
zwar in den letzten dreißig Jahren die Besitzer bewogen,
zur Umwandlung der letzten zu schreiten, und wo örtliche
Verhältnisse keinen vortheilhafteren Betrieb der Pferde-
oder Rindvieh-Zucht gestatteten, an ihre Stelle eine verbesserte Schaafzucht einzuführen, und sie mit dem Ganzen in ein richtigeres Verhältniß zu setzen; allein über
diese Ausführung ist man weniger einverstanden, als
über die Wahl der Schaaf- und Woll-Arten und über
die Leitung der Zucht.

Jedermann ist von den beiden Hauptbedingungen
der besten Nutzung einer Schaafhaltung, nämlich der
Gesundheit der Schaafe und der besten Beschaffenheit
einer gegebenen Woll-Art überzeugt; allein die Verschie-

4

denheit der örtlichen Verhältnisse, mehr aber noch die
Verschiedenheit der Ansichten von der Schaafhaltung,
und der Forderungen an ihre Einträglichkeit haben in
das Verfahren solche Abweichungen gebracht, daß der
sich selbst belehrende Anfänger ohne eigene Erfahrungen
sich kein festes System daraus zu bilden vermag.

Unter den angegebenen Ursachen ist es hauptsächlich
die Verschiedenheit der Ansichten, welche bis jetzt eine
größere Uebereinstimmung in der Schaafhaltung verhin=
dert hat. Die Ursache davon liegt im Mangel an Ge=
legenheit, sich auf dem kürzesten Wege die dazu nöthigen
Vorkenntnisse zu sammeln.

Für's Erste besitzen wir noch keine vollständige Na=
turgeschichte der gewöhnlichsten Futterkräuter und Wurzel=
Gewächse für die Anwendung. Denn bis jetzt ist
das Verhalten ihres Wachsthums und ihrer Bestand=
theile zur Polhöhe aus Prüfungen in großen Massen
noch in kein populäres Lehrbuch zusammengetragen. Die
Entbehrung dieser Uebersichten veranlassen aber beim an=
gehenden Praktiker Mißverständnisse der vorhandenen
Schriften über die Ernährung der Thiere, so wie Miß=
griffe in der Zutheilung der Pflanzen auf einem gege=
benen Boden, folglich auch in der Feld= Eintheilung
und zuletzt in der Fütterung.

Von der Verschiedenheit der tieferen Boden=Wärme
nach Verschiedenheit der tieferen Unterlagen war in den
landwirthschaftlichen Lehrbüchern bis jetzt noch nicht
die Rede.

Ferner sind über die Veränderungen der Nährstoffe
in den Futterarten mit dem Laufe der Zeit noch keine
Ergebnisse von Versuchen mit großen Massen bekannt.
Ein Pfund Heu enthält nach einem halben Jahre mehr
Halme, als bei der Erndte. Wie es sich aber eigentlich

mit der Nahrhaftigkeit verhalten mag, wissen wir nicht genau. (Es ist hier nämlich immer eine und dieselbe Portion Heu zu verstehen.)

Ueber das gegenseitige Verhalten der gebräuchlichster Futter-Arten in Hinsicht ihrer Nahrhaftigkeit sind wir noch eben so wenig im Klaren. So scheint z. B. das Verhältniß zwischen Kartoffeln und Brucken wie 1 zu 2 sich zu bestättigen. Aber der Nährstoff-Gehalt der verschiedenen Schlempe nach Verschiedenheit ihrer Gewinnung ist noch nicht in großen Massen chemisch ermittelt.

Die Vorkehrungen zur Erhaltung des Futters und der Früchte, wie die Durchschichtung des Klees mit Stroh, und die Ueberstreuung des Bodens, auf welchen Wurzelgewächse zu liegen kommen sollen, mit Kohlen= staub, und mehrere dergleichen, sind noch nicht allge= mein genug in Anwendung.

Die Untersuchung der Beschaffenheit des Futters vor seiner Anwendung ist eine derjenigen Nothwendig= keiten, durch deren Unterlassung vielleicht das dritte Stück von allen, die nicht vor Altersschwäche abgehen, verloren wird. Selten schon, daß das Futter vor dem Hingeben ausgestäubt, geschweige denn, daß sein Zustand untersucht wird. Häufig weiß man noch nicht ein= mal, wie man dies anzufangen habe. Und doch ist die Gefahr der Stockluft in allem grobstengligen Futter bei aller seiner scheinbaren Trockenheit so groß, welche die Anwendung des Geruchs=Sinnes so leicht abwenden könnte.

Was aber auch selbst denkenden und kenntnißreichen Männern am wenigsten einleuchten will, ist die Wirkung nicht der Menge, sondern der Art und Beschaffenheit der Nahrung auf die Wolle, in dem Grade, wie es wirklich

4 *

der Fall ist. Daß aber bei der Umwandlung der Nah=
rung im Innern eines Körpers die Spuren ihrer Be=
standtheile zu erkennen bleiben, bezeugen unter Andern
Tiedemann und Gmelin. Auf eine Menge von
Versuchen haben sie die Bestandtheile der in den Magen
gekommenen Substanzen im Blute der Pfort=Ader an
Geruch, Farbe und chemischen Bestandtheilen wieder er=
kannt. Wie ließe sich demnach noch bezweifeln, ob die
verschiedenen Nahrungs=Substanzen einen verschiedent=
lichen Einfluß auf die Haarbildung äußern könnten,
wenn uns auch nicht die Erfahrung selbst so anschaulich
davon überzeugte. Man vergleiche indessen nur die letzte
Butter der Winter=Nahrung mit der ersten einer üppigen
Gras=Nahrung. Auch ist es kaum nöthig an das Fär=
ben der Butterblume zu erinnern. Welcher Unterschied
ist nicht ebenfalls zwischen dem Gestrüppe von Haaren
eines Pferdes auf einer sumpfigen Wiesen=Weide und
der glänzenden Decke eines mit Hafer genährten! Nicht
minder bemerklich macht sich eine Verschiedenheit der
Nahrung nach Art und Menge an der Wolle und am
Schweiße des Schaafes. Gestalt, Länge, Durchmesser,
Schein, Kräfte und Schwere geben bald einzeln, bald
in Verbindung augenfällige Beweise davon. Diese Beob=
achtungen würden aber theils nur unvollkommen, theils
gar nicht möglich sein, wenn das Haar, gleich einer
lebenden Pflanze sich vom Umlauf der Säfte nährte.
Dieses ist aber nicht richtig, sondern es wird hervorge=
schoben, wie bei der Spinne; der Durchmesser nimmt
zu und ab nach Verhältniß des Zuflusses der Säfte,
und die subtilste Verkleinerung desselben auf irgend einer
Stelle wird nicht wieder durch eine nachherige Verstär=
kung der Nahrung gehoben; sondern die dünnere Stelle
des Haares bleibt, wie sie war, und der wieder dicker

gewachsene Theil folgt nach. Auch besitze ich eine Probe
schwarzbrauner Wölle, welche in der Mitte der Haare
mehrere Linien lang weiß ist, worauf wieder jene Farbe
eben so folgt, wie sie vorher geht. Bei einem Kreis=
lauf der Haarsäfte würde aber diese Sonderung nicht
haben stattfinden können. So aber zeigt das Wollhaar,
und dies vielleicht mehr, als irgend eine andere Art
Haare, jeden Wechsel in der Beschaffenheit und Menge
der Nahrung schon acht Tage nachher, oft noch früher;
die Biegungen mit dem Durchmesser wechseln mit ihren
Veränderungen; bei zu üppiger Nahrung schlägt sich ein
gelbbrauner Schweiß nieder, wie z. B. nach einer star=
ken Fütterung von Klee, Kartoffeln, Erbsen, Roggen,
frischer Saat; bei einer zu kärglichen Nahrung oder bei
zu wenigem Gehalt der Mittel an Nährstoff wirft die
Haut weiße Flimmerchen oder Schindelchen in die Wolle.
Schon eine andere Art, wenn auch an sich gesundes
aber weniger nahrhaftes Wiesenheu bringt dergleichen
Veränderungen hervor.

Um zu erkennen, ob eine Veränderung von einem
anderen Futter herrühre, darf man nur bei einer abge=
messenen Menge stehen bleiben. So z. B. reiche man
einige Wochen lang als Zugabe ¼ Pfd. Erbsenstroh,
und statt dessen auf eben so lange Zeit eben so viel ab=
gedroschenes Wicken=, auch nur abgedroschenes Kleestroh,
und untersuche alsdann die Wolle.

Zureichende Nahrung läßt echte Merinos=Wolle
gleichförmig und gleichlang wachsen; unzureichende Nah=
rung dagegen leichtlich ungleichförmig, in allen Fällen
aber in ungleicher Länge, indem immer einige Haare
hinter den andern zurückbleiben. Diese kürzeren Haare
bleiben auch feiner. Daher bei grobwolligen Schaafen
der leichter zu erkennende Flaum, in so fern keine Ver=

mischung mit anderen Raſſen ſtattgefunden hat. Bei öfterer und häufiger Unterſuchung dieſer Flaumhaare wird man einzelne finden, welche an dem einen Ende bis zur Hälfte und darüber die Feinheit des Flaumes, und an dem andern die Dicke der übrigen langen Haare haben. Es iſt noch eine Frage, ob der Ziegenflaum bei einer reichlicheren als gewöhnlichen Nahrung nicht ähnliche Veränderungen erleiden, oder zuletzt gar verſchwinden dürfte. Beobachtungen hierüber haben wir wohl vom Herrn Doctor Lenz in Schnepfenthal zu erwarten.

Ein anderes Beiſpiel von der Wirkung zu karger Nahrung liefert uns auch das zahme Geflügel. Bei kärglicher Nahrung zeigen Gänſe und Enten auf der Haut kleinere ſtumpfe Federn zwiſchen den anderen, welches weit weniger oder gar nicht der Fall iſt, wenn ſie gehörig gemäſtet ſind.

Bei kärglicher Nahrung, welches beſonders im Frühjahr der Fall iſt, wenn die Stallfütterung aufgehöret hat, und die Weide noch knapp iſt, leidet die feinſte zarteſte Wolle am erſten, indem ihr zu wenig Kraft bleibt, dem Druck der Atmoſphäre, und noch weniger dem Winde zu widerſtehen, um ſich aufrecht zu halten. Sie verfällt daher in all den fehlerhaften Wuchs mit Knoten u. ſ. w., der ihr in den Augen des Fabrikanten ſo ſehr den Werth benimmt. Kurz das Wollhaar iſt auf allen ſeinen Punkten der Nahrungs-Barometer des Körpers, von dem es getragen wird.

Woher anders der jährliche Wechſel in der Beſchaffenheit und dem Gewichts-Verhältniß der Wolle einer und derſelben Heerde, als von der Verſchiedenheit der Weide- oder Stall-Nahrung, oder beider zugleich? Höret man doch die Käufer einen ganzen Jahrgang vor dem andern loben. Gewöhnlich iſt dies nach einer durch-

gängig, nassen Sommer = Weide der Fall. Alsdann ist
aber diese Vorzüglichkeit nur scheinbar. Die Sanftheit
gewinnt auf Kosten der Elasticität der Wolle und —
der Gesundheit der Schaafe. Genug: selten ist das
Vließ eines erwachsenen Schaafes dem vorjährigen gleich.
Gestalt, Länge und Schein der Wolle zeigen sich jedes
Jahr anders. So wie man Jemand veriren kann, wenn
man ihm die nämliche Wollflocke nach wiederholtem
Wenden und Drücken immer wieder als eine neue Probe
zur Prüfung der Sanftheit in die Hände giebt, eben so
ist es auch der Fall mit 3 — 4 hintereinanderfolgenden
Vließen von dem nämlichen Schaaf im gesunden Zustande und in seinen besten Jahren. Keines ist dem an-
dern gleich, und die Wiedererkennung gelingt selten.
Daher oft das Urtheil der Käufer, welche weder das
Verhalten der Generationen zum Ganzen, noch den Einfluß der Nahrung kennen, über plötzlichen Rückgang der
ganzen Heerde, worüber doch nur allein die Jährlings-
Wolle jedesmal entscheiden kann.

Bei Versetzungen der Schaafe von einem Vorwerk
auf das andere, aus einer Gegend in die andere ergeben
sich ähnliche aber bleibende Veränderungen, die sowohl
zum Vortheil als Nachtheil gereichen können, je nachdem die früheren Umstände waren. Der Wechsel einer
vorzüglichen Nahrung und strengen Diät mit rauherem
Futter und mehr Freiheit im Genuß läßt die Wolle auf
demselben Schaaf schon nach Verlauf eines Jahres nicht
wieder erkennen.

Dieser so wesentliche Punkt bei der Schaafhaltung,
nämlich der Einfluß des Qualitativen der Nahrung auf
die Wolle und die gleichzeitig mitschreitenden Kennzeichen
an jedem hervorwachsenden Theil des Wollhaares war
im Anfang meiner Beschäftigung mit der Wollzucht

weder in Schriften berührt, noch sonst allgemein bekannt, eine sogenannte mastige oder magere Futterung als Gegensatz ausgenommen, und was sonst offenbar in die Augen fiel, ohne die entfernteren Ursachen davon zu kennen. Es kostete mir daher viele Mühe und lange Zeit, bevor ich zwischen den Verschiedenheiten der Nahrung und ihren Wirkungen auf die Wolle den wahren Zusammenhang einsehen lernte, besonders da mir nicht allenthalben die vorhergegangenen Umstände treulich angegeben wurden. Erst durch meine mündlichen und schriftlichen Mittheilungen wurde man darauf aufmerksamer, und nunmehr ist die Gestalt des Haares mit dem Durchmesser beider in ihren Abweichungen als ein zuverlässiges Merkmahl der Nahrung und als eine sichere Richtschnur für die Wollzucht anerkannt.

Die Art der angemessenen Nahrungsmittel wird bedingt durch die Natur des Körpers. So sind, z. B. Kohl= und Rübenblätter wegen ihrer stark blähenden Eigenschaften für Merinos=Schaafe gar nicht anwendbar. Milch von bloßem Kleeheu macht steife Lämmer. Nach Kartoffeln entsteht leicht Verlammung. Körner nehmen im Magen zu wenig Raum ein; abgedroschenes Wickenklee= und Buchweizen=Stroh nebst Kaff enthalten in einem großen Umfange zu wenig Nährstoff.

Die erforderliche Nahrungs=Menge wird bedingt einmal durch das Bedürfniß des Körpers, und alsdann durch die Erfordernisse der Wolle. Beide erfordern eine gleichzeitige Berücksichtigung. Wenn auf der einen Seite Körper und Wolle keinen Mangel leiden dürfen, so kann auf der andern Seite ein gewisses Uebermaaß von Nahrung beiden Theilen schädlich werden. In diesen Rücksichten giebt es zwei entgegengesetzte Gränzpunkte für

die Nahrungs=Menge, über und unter welche jede Ueber=
schreitung zu vermeiden ist.

Das Nahrungs=Bedürfniß jeder besonderen Meri=
nos=Raße richtet sich nach der Größe des Körpers und
nach seiner Bewachsenheit zugleich. Je größer und je
ausgebreiteter und dichter besetzt: desto mehr Nahrung
bedarf er.

Die Wolle darf weder verkrüppelt wachsen, noch
mit Schweiß beladen sein, oder Hautschindeln enthalten;
sondern sie muß rein, jedes Haar muß selbstständig, in
seinen Biegungen gerade aus und auf jedem Punkte in
gleichmäßiger Feinheit erscheinen. Eine Ernährung,
welche die Wolle in diesem Mittel erhält, ist die ge=
hörige.

Der schnellste Wuchs feiner Merinos=Wolle erreicht
in 3 Monat höchstens einen rh. Zoll, also in 1 Monat
ohngefähr 4 Linien und in 1 Woche 1 Linie oder 1 Bo=
gen, 25 Bogen auf 1 rh. Zoll gerechnet.

In Betreff des Einflusses der verschiedenen Nah=
rungsmittel auf die Wolle steht der Satz fest: Alles,
was dem Körper gesund ist, ist auch der Wolle zuträg=
lich, doch mit der Beschränkung auf ein gewisses Maaß.
Nur gutes Wiesenheu, welches unter allen Futter=Arten
für das Schaaf die erste Stelle einnimmt, macht davon
eine Ausnahme. In noch so großer Menge genossen
hinterläßt es nie einen Schweiß=Niederschlag in der
Wolle. Demnächst wirken Hafer und Gerstenschroot am
besten auf die Wolle. Beim erwachsenen guten Schaaf
darf aber die Quantität nicht 4 Loth auf den Tag
übersteigen.

Alle übrigen Futter=Arten erfordern ebenfalls eine
Beschränkung in der Menge. Hierher gehören: alle
Grasnahrung ohne Unterschied; aller Klee, so wohl im

trocknen, als grünen Zustande, Kartoffeln, alle Arten
Hülsenfrüchte, alle Arten Korn, Schrotmehl. Kurz, alle
diese Surrogate üben, wenn sie über ein gewisses Maaß
hinausgegeben werden, einen mehr oder minder nachtheiligen Einfluß auf die Wolle, indem sie einen Schweiß-
satz zurücklassen; der Klee, wenn er nicht zur Hälfte mit
Wiesenheu versetzt oder abwechselnd gegeben wird; die
Kartoffeln, wenn das Futter 1 Pfd. auf den Kopf
übersteigt; alle mehlige Nahrung in Körnern, Hülsen-
früchten oder Schroot, wenn die tägliche Portion mehr
als 4 Loth beträgt. Dies sind die ohngefähren Wende-
punkte. Bei Lammschaafen kann die Hälfte jeder Art
für sich mehr angewendet werden.

Abgedroschenes Klee-, Buchweizen- und Wickenstroh,
so wie Kaff, halten ohne Verbindung mit besseren Stroh-
Arten Milch und Wolle zurück, und werfen in die letzte
Schindeln ab.

Die Einrichtung der Weide und Fütterung ist also
mit das Wichtigste. Daß die meisten Klee-Arten im ersten
Jahre nach dem Einsäen wegen ihres zu üppigen Wuchses in der Regel zu keiner Weide-Nahrung dienen können, ist bekannt. Luzerne und Esparcette kommen indessen unter den gemäßigten Klimaten nicht allenthalben
mehr fort. Unter dem 54sten Breitengrade ist die Luzerne, welche ohnedem einen 3 Fuß tiefen Humus-Boden
erfordert, schon etwas Seltnes, und die Esparcette
kömmt da gar nicht mehr fort. Zur Weide im ersten
Jahre nach dem Einsäen bedienet man sich daher des
weißen Klees, weil dieser nicht so schnell in die Höhe
schießt. Da diesem aber in der Officin vor andern
Klee-Arten eine blähende Eigenschaft zugeschrieben wird,
so sichert sich ein angehender Landwirth seine Schaaf-
Heerde am besten, wenn er die Feld-Eintheilung so ein-

richtet, daß er von 3 Kleefeldern das einjährige zu Heu, und die beiden andern zur Weide, das dreijährige bis zum Umstürzen zur Lämmerweide benutzt und jede Einsaat mit Thimoti=Gras vermischt, welches aber wegen der Ungleichheit der verschiedenen Saamenkörner allein übergesäet werden muß. Ohne eine solche Feld=Eintheilung und Weide=Nutzung steht keine Heerde sicher. Dies hat die Erfahrung allenthalben gelehrt.

Die weitere Feld=Eintheilung, an welche sich ein solcher Weide= und Futter=Bau anzuschließen hat, ist Sache der Landwirthschafts=Lehre. Daß aber dergleichen Systeme nicht immer der Oertlichkeit und der augenblicklichen Einrichtung angemessen versucht worden sind, wobei Wirthschaft und Heerden zu Grunde gehen mußten, daran hat die Merinos=Schaaf=Haltung an sich keine Schuld.

Der Bedarf an Weidefläche ist nach der verschiedenen Beschaffenheit der Weide selbst sehr verschieden.

Die Vergleichung des Heu's, welches auf einer bestimmten Fläche eines gegebenen Feldes gewonnen werden kann, mit der Weidenahrung im grünen Zustande, giebt nur einen sehr unsicheren Maaßstab an die Hand, indem von Merinos=Schaafen keine Weide genossen werden darf, deren Gewächse mähbar sind. Bei dieser Bestimmung können daher nur zweijährige Kleeweiden zum Grunde gelegt werden. Unter diesen sind aber die Weide=Verhältnisse so verschieden, daß an einem Tage auf einem Preuß. Morgen 300 bis 700 Köpfe mittler Größe unterhalten werden können. Die Quotienten dieser Zahlen, in die Weide=Tage dividirt geben alsdann die Stückzahl an, welche während derselben darauf gehütet werden können. Aus diesen Angaben läßt sich für einen gegebenen Boden nach seiner Fruchtbarkeit ein ohngefähres Verhältniß entnehmen, welches bei den ersten Versuchen, um desto sicherer zu gehen, noch nicht erreicht werden darf.

Das Verhalten der Nahrhaftigkeit der verschiedenen Futter-Arten hat sich nach allgemeinen Erfahrungen in der Anwendung und nach chemischen Untersuchungen bewähret, wie folgt:

100 Pfd. gutes Wiesenheu;

500 Pfd. Gras;

80 Pfd. gutes Kleeheu;
400 Pfd. grünen Klee; } nach Block: $\frac{3}{14}$.

200 Pfd. gutes Erbsenstroh;

200 Pfd. mit Klee durchwachsenes Gerstenstroh;

200 Pfd. Kartoffeln, eine sehr oberflächliche Annahme, bei der außerordentlichen Verschiedenheit derselben;

300 Pfd. Turnips, nicht 200 Pfd.;

$\frac{1}{4}$ bis 1 Scheffel Körner, je nach Verschiedenheit der Getreide-Arten;

40 Pfd. Erbsen;

300 - 400 Pfd. gewöhnl. Sommerstroh; } doch nur als
400 - 600 Pfd. gewöhnl. Winterstroh; } Beifutter.
Abgedroschenes Stroh von Wicken, Klee, Buchweizen, so wie Kaff ist noch weit geringer anzuschlagen.

Alles Rauhfutter, welches als Häcksel gegeben werden soll, muß sehr gesund ausgesucht werden, indem das Schaaf alsdann nicht mehr liegen lassen kann, was ihm schon durch den Geruch zuwider wäre.

Das Aufbrühen des Häcksels mag manchen Stoff entwickeln, es wäre aber auch die Frage, ob nicht der eine oder andere verflüchtiget oder untauglicher werde.

Außerdem ballt sich aufgebrühtes Futter im Magen

mehr, als im natürlichen Zustande. In diesem muß es auch höchst wahrscheinlich die Ausdünstung sehr beförbern, indem Getreidestroh im Allgemeinen einen bedeutenden Theil von Schwefelstoff zu enthalten scheint, wie die Farbe seiner Oberfläche und seiner Flamme wenigstens andeuten.

Wenn es irgend zu vermeiden ist, so gebe man in den kältesten Monaten gar keine Wurzelgewächse, sondern nur vor und nach denselben. Ihre beste Wirkung äußern sie noch vor der Keimzeit. Für die Lammschaafe ist es am besten, wenn sie vor der Lammzeit gar keine bekommen. Auch dürfen sie nur in gemäßigter Temperatur zubereitet werden, indem sie so leicht eisig werden und dann plötzlich den Magen erkälten. Schreiber dieses hat zugesehen, wie sich kurz nach dem Zerschneiden die Scheiben mit Eis überzogen.

Die tägliche Kartoffel=Portion darf bei dem Jährling nicht ¼ Pfund, und bei dem erwachsenen güsten Stück beiderlei Geschlechts nicht 1 Pfund übersteigen. Im ersten Fall leiden die Jährlinge an ihrer Gesundheit und im zweiten Fall leidet die Wolle durch Schweiß= Niederschlag. Nur den Lammschaafen können die Kartoffeln täglich bis zu 1½ Pfund gegeben werden. Auf alle Fälle aber ist es gerathener, auch diese Portion zu vermindern und dafür anderes Futter zu reichen.

Man zieht es vor, den Hafer lieber mit den Rispen, als in bloßen Körnern zu geben.

Nach jeder Erndte wird bestimmt, wie die Vorräthe hintereinander verfüttert werden sollen, vorausgesetzt, daß der Zutritt zu jeder Art von Futter und Stroh von Anfang an offen erhalten wird, und das Dreschen so viel wie möglich nach dem Bedürfniß der Schäferei geschehen kann.

Im Vorwinter bis gegen die Lammzeit hin wird das mindernahrhafte und leichter vergängliche Futter und Stroh zuerst verbraucht, doch nicht ohne alle Verbindung mit besserem Futter, um sowohl den Zustand der Schaafe als den der Wolle gleichmäßig zu unterhalten. So dienen z. B. Kartoffeln dem mindernahrhaften Futter zum Gegengewicht.

Aus den früher angegebenen Gründen darf aber kein Surrogat vom Klee an bis zur Kartoffel; und eben so wenig die magersten Stroh-Arten eine Zeit lang hindurch unvermischt am allerwenigsten den Lammschaafen gegeben werden. Als die besten Verhältnisse haben sich folgende Verbindungen zum beständigen Wechsel im Laufe des Tages bewährt: 1 Theil Wiesenheu neben 1 Theil Kleeheu; 2 Theile Kartoffeln neben einem Theil Heu; und beim Stroh: 1 Theil Stengelstroh neben 1 Theil gutem Stroh, so daß diese verschiedenen Bestandtheile im Laufe des Tages abwechselnd vorkommen.

Die Erfahrungen in der Fütterung liegen uns zwar näher, als die in der Zutheilung der Weide. Bei jener können die Futtermassen bestimmt, die Wirkungen schneller beobachtet, und ihre Ordnungsfolge und Vielheits-Verhältnisse eher regulirt werden. Demungeachtet herrscht in den Angaben des Bedarfs an trocknem Futter ein eben so weitläuftiger Spielraum, wie in den Angaben des Weidebedarfs. Der eine Verfasser hat seine große Rasse, oder sein mittelmäßiges Futter vor Augen, der andere seine kleinere Rasse oder sein vorzügliches Futter; noch andere geben Wechselfälle an, als welche noch erst zu versuchen wären, obgleich sie eigene Heerden halten, und so kann der angehende Schaafzüchter aus allen diesen Angaben nur eine zweifelhafte Anwendung auf gegebene Verhältnisse machen. Die Erfahrung hat sich in-

deſſen dahin entſchieden, daß bei 2 Pfd. gutem Wieſenheu
als täglicher Nahrung im Durchſchnitt ohne das Stroh,
auf Merinos von mittler Größe eine vorzügliche Wolle
erzielt werden kann, wovon Schreiber dieſes ſich ſelbſt
zu wiederholten Malen feſt überzeugt hat.

Mehrere Berückſichtigungen erfordern eine beſondere
Eintheilung der Futtermaſſe, nämlich Geſchlecht, Alter
und Zuſtand der Schaafe und die Veränderlichkeit der
Weide-Nahrung und des Winterfutters ſelbſt:

1) Einige Wochen vor der Einſtallung dürfen die
Lämmer nicht mehr auf die Weide gehen; ebenſo
müſſen im Frühjahr die jüngſten Lämmer nach Eröffnung der Weide noch eine Zeitlang zurückge-
halten werden, wenn ſie ſpät geboren ſind.

2) Einige Wochen vor der Einſtallung, ſo wie einige
Wochen nach Eröffnung der Weide bedürfen alle
Haufen ein kleines trockenes Futter in magerem
Heu oder in gutem Stroh, welches allmählig ver-
mehrt oder im Frühjahr vermindert wird, und als
Vorbeugungsmittel gegen Waſſerſucht oder Durch-
fall dienet;

3) das Nahrungs-Bedürfniß der verſchiedenen Ge-
ſchlechter iſt verſchieden; bei einer ſtrengen Deko-
nomie läßt ſich das Verhältniß zwiſchen Häm-
meln, Mutterſchaafen und Stähren ſtellen, wie
$1\frac{1}{3}$; 2; $2\frac{1}{3}$; und 4, bei dem Jungen eines jeden
Geſchlechts auf $\frac{1}{7}$.

5) Der heranwachſende junge Haufen bedarf einer
allmähligen Zulage;

6) der trächtige Mutterhaufen desgleichen, ohngefähr
4 Wochen vor der Lammzeit mit allmähliger
Steigerung bis zu 50 Prozent, womit bis zur
Eröffnung der Weide fortgefahren, und von da

an nach einigen Wochen unter allmähliger Verminderung geschlossen wird;

7) auch die Lämmer erfordern gehörige Berücksichtigung 4 Wochen nach ihrer Geburt an;

8) die allmählige Abnahme der Nahrhaftigkeit des Futters aller Art erfordert im allgemeinen eine solche Eintheilung, daß auch bei den erwachsenen güsten Haufen anfänglich eine geringere, und späterhin eine etwas größere Portion gegeben werden kann; endlich muß

9) einiger Vorrath für die Zeit der Schaaf-Wäsche und Wollschur und für eintretende Regentage zurückbehalten werden.

Ein ohngefährer Entwurf zur Futtervertheilung wäre folgender:

Vier Wochen vor dem Schluß der Weide wird an magerem Heu oder Aehrenstroh gegeben: auf den Stähr 1¼ Pfd., auf den jungen Stähr ⅞ Pfd.; auf das Schaaf 1 Pfd.; auf das junge Schaaf ¾ Pfd.; auf den Hammel ⅞ Pfd.; auf den jungen Hammel ½ Pfd.

Die gänzliche Einstallungszeit kann in nördlicheren Gegenden von der Mitte Oktober an bis Mitte May, also 210 Tage gerechnet, und für die Steigerung der Futter-Portionen können 3 Perioden, eine jede von 70 Tagen angenommen werden. Die alten Stähre bekommen in der ersten Periode 2½ Pfd. Heunahrung, in der zweiten 2¾ Pfd., in der dritten 3 Pfd.; die jungen Stähre nach derselben Folge: 1¾ Pfd., 2 Pfd., 2¼ Pfd.; die Hammel 1¾ Pfd., 2 Pfd., 2¼ Pfd.; die jungen Hammel 1 Pfd., 1¼ Pfd., 1½ Pfd.; die güsten Schaafe 2 Pfd., 2 Pfd., 2¼ Pfd.; die jungen Schaafe 1 Pfd., 1¼ Pfd., 1½ Pfd.; die Lammschaafe 2 Pfd., und von der Lammzeit an 3 Pfd. bis zu Ende der Einstallung.

Nach Eröffnung der Frühjahrs-Weide wird noch einige Wochen lang Rauhfutter nachgegeben und allmählig damit aufgehört.

Das Lamm bekömmt 4 Wochen nach seiner Geburt vom besten Heu in der ersten Hälfte bis zur Weide $\frac{1}{4}$ Pfd. und in der andern $\frac{1}{8}$ Pfd. Bevor aber nicht eine beständige gute Witterung eingetreten ist, können sie nicht auf die Weide gelassen werden.

Mit der täglichen Futterfolge wird es so für das Zweckmäßigste gefunden: Stroh, Tränke, Heu oder anderes Futter; Stroh, Tränke, Stroh; wobei das Aehrenstroh das erste und letzte Futter ausmacht.

Nach der vorhergehenden Eintheilung des Futters kommen vom 15. September an bis zum 14. Mai, also während 240 Tage an täglicher Heunahrung im Durchschnitt auf den Stähr 2½ Pfd.; auf den jungen Stähr 1½ Pfd.; auf den Hammel 1½ Pfd.; auf den jungen Hammel 1¼ Pfd.; auf ein güstes Schaaf 1½½ Pfd.; auf ein einjähriges 1½ Pfd.; auf ein Lammschaaf 2½ Pfd.; auf ein Lamm ¼ Pfd. von seiner Geburt an.

Nehmen wir zum ohngefähren Verhältniß einer Heerde 100 Mutterschaafe, 100 Hammel und 100 Stück Jungvieh; so ergiebt sich ein Durchschnitt von 1½ Pfd. Heunahrung auf den Kopf als der geringste, unter welchem Merinos-Heerden nicht gehalten werden können, mit Ausschluß der Lämmer.

Zur Erhaltung der Gleichmäßigkeit des Wollwuchses und des Milch-Zuflusses schneide man niemals eine Art Futter plötzlich ab, sondern führe das alte und neue allmählig über.

Die Vertheilung des für eine Schäferei bestimmten Futters geschieht jetzt planmäßiger, als vor 40—50 Jahren. Man zählt nicht mehr nach Fuder, Rausen

und Einlegen, sondern überzeugt sich näher nach Um-
fang und Gewicht von den Vorräthen und vertheilt diese
etwas über die Zeit, wann die Störche erscheinen, für
unvorhergesehene Fälle weiter hinaus. Schon die Schurzeit erfordert diese Vorsicht; die Regentage aber bleiben ungewiß.

Ergiebt sich bei einem Ueberschlag der Futter-Vor-
räthe gleich nach der Erndte im Verhältniß zum Bestand der Heerde ein Defizit: so wird zunächst die folgende Lammzucht beschränkt. Die schwächeren Mutterschaafe, gleichviel von welchem Alter, werden zurückge-
lassen. Diese Verfügung gewähret den Vortheil, daß
im Frühjahr Futter erspart wird; daß das schwächere
Muttervieh zu Kräften gelangen kann, und keine schwache
Nachzucht in die Heerde eingeschoben wird. Die Rasse
bleibt also kräftig.

Reicht die Beschränkung der Lammzucht noch nicht
zu, dem vorauszusehenden Mangel an Unterhalt zu weh-
ren, so verdient die nothwendige Erhaltung eines kräf-
tigen Mutterstammes die allererste Berücksichtigung, und
demnächst die Erhaltung aller übrigen in einem gleichen
Zustande. Zu dem Ende muß alles Schwächliche ohne
Unterschied des Alters und Geschlechts in so weit aus
den Heerden entfernt werden, bis hinlängliche Siche-
rung da ist, damit nicht alle miteinander durch eine
zu kärgliche Fütterung für jede Krankheit reif werden,
und zugleich weniger und nach Umständen eine schlechtere Wolle geben, als bei einer gehörigen Gleichstellung
der Stückzahl zu den Vorräthen.

Bleibt aber der Mutterhaufen wohl erhalten, so
stellt sich die vorige Größe einer Heerde bald wieder her.

Ueber die Einrichtung der Landwirthschaft zur Schaaf-Zucht.

Seit so vielen Jahren ist dieser Gegenstand von den ersten Theoretikern in systematischen Werken und Jour= nalen so weitläuftig verhandelt worden, daß man glau= ben sollte, die allgemeinen Regeln, welche auf die be= sonderen Fälle anzuwenden wären, hätten längst ihre Feststellung erhalten. Und doch muß der bloße Zuschauer daran zweifeln, wenn er bemerkt, wie begierig man sich noch jetzt in öffentlichen Zeitschriften nach den besten Methoden erkundiget, und wie viele Wirthschaften unter sehr günstigen Oertlichkeiten durch den Wechsel ihrer Einrichtung in ihrem Ertrage rückgängig geworden sind. Es giebt dies einen offenbaren Beweis ab, daß die Kenntniß angehender Landwirthe von einer Menge No= menklaturen von Wirthschafts=Einrichtungen an sich nicht hinreicht, den Erfolg eines Uebergangs aus dem einen in das andere System zu sichern, daß vielmehr das Gelingen einer Umänderung eben so wohl von der Art, wie diese geschieht, als von dem System selbst ab= hängt, welches verfolgt werden soll, und es bleibt merk= würdig, warum man sich nur hauptsächlich mit den Fruchtfolgesystemen an sich, und weit weniger mit ihrer Anpassung an die Dreifelderwirthschaft unter der minde= sten Störung der bisherigen Verhältnisse beschäftiget hat. Der Einwand: „die Oertlichkeit bestimmt Alles" gilt bei der Untersuchung allgemeiner praktischer Regeln nicht. Es giebt auch in diesem Fach einige, welche auf alle Fälle anwendbar sind. Der hiernächst folgende Plan ist ein Versuch, welcher noch sehr viele Einwürfe leiden mag, dessen Befolgung aber doch manchen Neuling in der Praxis vor der Zerrüttung seines Vermögens be= wahrt haben dürfte.

Allmähliger Uebergang
von 3 Feldern in 9 Felder.

Rotation.

1. Winterung. 2. Sömmerung. 3. Brache. 4. Winterung.
5. Sömmerung. 6. Sömmerung. 7. Klee-Heu. 8. Klee-Weide.
9. Klee-Brache.

Jahr.	Das Brachfeld in 3 Theile			Das Winterfeld in 3 Theile			Das Somerfeld in 3 Theile			Summa in 9teln.			
	1	2	3	1	2	3	1	2	3	Winter.	Sömm.	Klee.	Brache.

Uebergang.

Jahr.	1	2	3	1	2	3	1	2	3	Winter.	Sömm.	Klee.	Brache.
1tes	W	W	W	S	S	S	B	B	K	3	3	1	2
2tes	S	S	S	B	B	K	W	W	K	2	3	2	2
3tes	B	B	K	W	W	K	S	S	K	2	2	3	2
4tes	W	W	K	S	S	K	B	K	W	3	2	3	1
5tes	S	S	K	B	K	W	W	K	S	2	3	3	1
6tes	B	K	W	W	S	S	K	K	B	2	3	3	2
7tes	W	K	S	S	K	B	K	W	W	3	2	3	1

Anfang der Rotation.

Jahr.	1	2	3	1	2	3	1	2	3	Winter.	Sömm.	Klee.	Brache.
8tes	S	K	B	K	W	W	K	S	S	2	3	3	1
9tes	K	W	W	K	S	S	B	B	B	2	3	3	1
10tes	K	S	S	K	B	S	W	W	K	2	3	3	1
11tes	K	B	S	B	W	S	S	S	B	2	3	3	1
12tes	W	W	K	S	S	K	B	S	S	2	3	3	1
13tes	S	S	B	K	W	K	W	K	W	2	3	3	1
14tes	B	S	K	W	B	S	K	S	K	2	3	3	1
15tes	W	S	W	S	K	S	S	K	B	2	3	3	1
16tes	S	K	B	K	B	W	W	W	W	2	3	3	1

Schluß und Erneuerung.

17. Jahr wie 8.	S	K	B	K	W	W	K	S	S	2	3	3	1

Die vorstehende Fruchtfolge läßt den Klee erst im 10 Jahre wieder auf derselben Stelle erscheinen.

Während des Uebergangs treten nur 2 Jahre, das 3te und 6te ein, wo nur ⅐ des Areals mit Halmfrüchten besetzt sind. Dagegen steht in der Rotation selbst das 5te Feld neben Hackfrüchten zum Theil noch zur Disposition für Sommer=Getreide, wobei keinem Felde in Rücksicht seiner früheren Nutzung zu viel aufgelegt wird.

Die Weidefelder kommen zwar nicht neben einander zu liegen. Die Verfolgung dieses Plans hat aber eben so viele Wirthschaften zerrütten helfen, indem man dabei die Revolution des Ueberganges ins Unendliche verlängern muß. Zudem ist das Nebeneinanderliegen der Weideschläge keine Nothwendigkeit. Im Gegentheil hilft ihre Zerstreuung die Ordnung im Hüten noch mehr erhalten. Eine Trift muß freilich angelegt werden, und zwar um die Schäferei im Kreise umher, ohne den Feldern zu viel Land zu nehmen. Von dieser Trift kann, wenn einmal die Rotation im Gange ist, jedes Jahr der nicht berührte Theil, also ohngefähr die Hälfte noch besonders benutzt werden.

XIII.

Ueber die äußeren Einrichtungen einer Schäferei.

Die Einrichtung der Ställe ist so verschieden, als es Oertlichkeiten und Ansichten giebt. Bei einem Neubau sind indessen folgende bewährte Angaben zur Berücksichtigung zu empfehlen.

Lehm verdienet vor allem andern Material den Vorzug. Man erhebe nur das Fundament etwas über die Erde, und bringe den Lehm nicht unmittelbar auf Feldsteine.

Die Länge eines Gebäudes wird über einen gewissen Grad hinaus demselben nachtheilig. Anstatt einer Länge von 200 bis 300 Fuß theile man lieber dieselbe, und setze dafür 2 Gebäude von 100 bis 150 Fuß auf einer Linie, 10 — 15 Fuß von einander entfernt, indem man diesen Zwischenraum zu einem verdeckten Gange macht.

Die Tiefe nimmt man, so weit es die Oertlichkeit gestattet, bis zu 40 und etlichen Fuß.

Die Höhe darf in Gegenden, wo die Kälte 18 — 20 Grad R. erreichen kann, 9 — 10 Fuß vom Grunde nicht überschreiten.

Die Seitenthüren zu den Ein= und Ausgängen der Haufen mache man wenigstens 9 — 10 Fuß weit.

Das Heuloch benimmt im Innern des Stalls Uebersicht und Raum, und Wandstreben desgleichen. Diese letztern sind auch bei selbstständigen Gebäuden von 100 bis 150 Fuß Länge überflüssig.

Zur Ableitung des Stall = Dunstes helfen keine Schornsteine. Der Zug desselben bricht sich am rechten Winkel, und greift daher das Holzwerk um die Oeffnung herum noch eher an. Man zieht es daher vor, in jedem dritten Sparrenfelde dicht unter der Decke auf jeder Seite über den Dachschwellen zwei einander gegenüberstehende Oeffnungen zu lassen, durch welche die Luft beständig freien Abzug behält, und auch die feinsten Dünste mit sich abführen kann, durch welche eben die Gebäude am meisten leiden. Diese Oeffnungen werden mit Klappen versehen, welche sich wagerecht bewegen müssen. Fenster = Oeffnungen allein führen nicht zu diesem Zweck, indem sich die feinen Dünste auch nur bei einem Zoll tiefen Saum an den Wänden nicht von der Stelle bewegen.

Die Wände unter den Fenstern werden etwas geflächt.

Unter den Raufen=Formen verdienen die runden den Vorzug, doch nur unter der Bedingung, daß der untere Durchmesser mit der Krippe wenigstens 4 Fuß enthält, und der Stall = Raum vollständig benutzt werden kann Das Weitere darüber habe ich bereits in meiner Schrift über Merinos = Schaaf = Zucht gesagt.

Der Schutzbretter zur Verhütung des Einfallens des Futters in die Wolle kann man entbehren, wenn man die Raufen = Sprossen 3¼ bis 3½ Fuß lang machen läßt.

Zu den Scheide=Wänden oder Vorzügen nehme man

keine unbehülflichen Horden, sondern leichte Leitern mit 3¼ Fuß hohen Sprossen.

Alle Stäbe zu den Raufen und Vorzügen lasse man schneiden, und nicht zu schwach machen. Ihre Entfernung im Lichten kann bei den Raufen 3¼ Zoll und bei den Vorzügen 4 Zoll sein, so daß die Jähr= linge nicht durchkriechen können.

Alle Pfeiler und stehenden Geräthe werden ab= gerundet.

Der Stall=Raum selbst wird auf folgende Art ab= getheilt.

Den Ausgängen gegenüber, auf der andern Seite wird den ganzen Stall hindurch ein 4—5 Fuß breiter Gang gelassen, und abgesperrt. Das Gitter wird mit so viel Oeffnungen zu Eingängen als für gut gefun= den wird, und jede Oeffnung mit einem Schieber ver= sehen.

Hinter diesem Gitter werden die Tränkrinnen und über denselben Klappen angebracht, so daß sie vom Gange aus angefüllt werden können.

Die Vorzüge, welche von Haufen zu Haufen queer durch den Stall gehen, werden in der Mitte mit Schie= bern versehen, so daß man nicht nöthig hat, in der Mitte des Stalles der Länge nach einen, besonderen Gang leer zu lassen.

Der Platz für die Hüttchen und den nachherigen freien Aufenthalt der jüngsten Lammschaafe, der erste, welcher zu sichern ist, wird auf derjenigen Giebelseite genommen, welche am meisten geschützt ist. Auf diesem Platz werden die Hüttchen längs den Wänden ange= bracht. Ein jedes derselben bekömmt seine Thür, und innerhalb derselben eine kleine Krippe und eine kleine Raufe. Zum Herein= und Herausbringen des Schaafs, des Futters und der Tränke sind diese Oeffnungen sehr bequem, und die Wolle ist vor dem Einfallen des Futters geschützt. Anstatt des einzelnen Tränkens ist es besser, wenn mehrere Hüttchen eine gemeinschaftliche Rinne haben.

Der übrige Raum des Stalles wird zur Aufnahme so vieler Schaafe bestimmt, daß sie einen bequemen Aufenthalt haben, nämlich für jedes trächtige Schaaf einen Kreis, dessen Durchmesser es selbst ist, also ohngefähr 11—12 Quadrat=Fuß. Jede hundert bis hundert zwanzig Stück müssen für sich abgesperrt werden.

Zur Seitenstellung der Schaafe während des Futter=Einlegens werden außerhalb am Stalle verdeckte Schoppen oder Schauer angebracht, weil das Zusammendrängen im Stalle Verlegenheiten verursacht, auch zu viel Raum erfordert.

Die Stall=Temperatur darf nicht 10 Grad R. übersteigen.

Zur Moderirung derselben kann man die Stall=Thüren in die Queere theilen lassen.

Auf der Ausgangsseite des Stalles unterlasse man nicht, eine Pflanzung niedriger Bäume anzulegen, und den Platz wohl zu ebnen.

Der Schäfer locke seine Schaafe hinter sich her. Diese Angewöhnung ist wegen Feuers=Gefahren nothwendig. Die Englischen Schäfer führen einen ausgestopften Leithammel auf einen kleinen niedrigen Wagen hinter sich her.

Alles bisher über Stall=Einrichtung und Schaaf=Haltung Gesagte ist längst bekannt, allein der angehende Landwirth findet in den wenigsten Schäfereien Alles beisammen, indem oft schon die Oertlichkeit eine andere Einrichtung erfordert.

Zur Erhaltung des Futters wird ein von allen Seiten gegen Feuchtigkeit und Dünste wohl verwahrtes Lager erfordert. Bei einer Stalldecke, welche den Dunst durchläßt, ist eine Heerde mit den Lämmern jährlich den Folgen mulkrigen Futters ausgesetzt.

Das Futter wird am meisten gesichert, wenn es mit Stroh bedeckt und durchschichtet, und mit Dach und Wänd in keiner Berührung gelassen wird. Zu dem Ende werden gleich mit dem Anbruch eines Heu=Haufens, oder noch vorher ringsum freie Gänge gemacht.

Stallfütterung für beständig ist nicht wirthschaftlich, wo es kurze Weide giebt, welche weder zur Gewinnung des Futters, noch für anderes Vieh benutzt werden kann.

Außerdem ist Grünfutter auf Haufen gefährlicher als in seinem freien Stande, wo es Luft und Winden beständig ausgesetzt ist. Auch machen die Unkosten der Herbeischaffung und des Einfütterns einen Unterschied gegen die Kosten des Hütens. Schlägt endlich die Kleesaat fehl, so muß doch ausgetrieben werden.

Das Horden entsteht aus Mangel an Streue, und düngt ohne weitere Beläftigung. Allein diese Düngung ist nicht nachhaltig, und am vortheilhaftesten nur auf kaltem Boden. Der Nachtheil des Hordens kann aber für die Heerde je nach Beschaffenheit der Umstände sehr groß werden, wenn Bodenkälte und Nässe mit feuchten und kalten Nächten zusammenwirken. Die Aeußerung der Folgen zeigt sich am ersten am Muttervieh und an den Lämmern. Diese bekommen den Durchfall, magern ab, und viele können es nicht überstehen. Was als= dann am Leben bleibt, hat sich freilich bewährt. Es kömmt also auf jede besondere Oertlichkeit an, ob das Horden in allen wirthschaftlichen Beziehungen vortheil= hafter, oder nachtheiliger sei.

XIV.

Ueber die Beſtimmung der Paarung.

Dieſe betrifft ſowohl die Leitung der Zucht als die Feſtſtellung der Lämmerzahl in wirthſchaftlicher Beziehung.

Was das erſte betrifft, ſo wird ein jeder Dirigent, welcher die erforderlichen Eigenſchaften der beſten Wollträger kennt, dieſe auch bei der Auswahl der Stammthiere anzuwenden wiſſen.

Indeſſen mögen hier die Angaben einiger Verfahrungs=Weiſen, welche darauf Bezug haben, nämlich beim Claſſifiziren der Heerden und Auszeichnen einzelner Stähre nach ihren Vorzügen mit wenigem folgen.

Unter den Bedingungen der Unterſuchung iſt es eine der erſten, daß wenn dieſelbe im Laufe des Winters geſchah, ſie nach dem Austreiben in wichtigen Fällen zu wiederholen iſt, indem die Schaafhaltung nicht blos auf den Aufenthalt im Stalle beſchränkt bleiben kann, die Einwirkung der freien Natur aber beſonders bei Wolle junger Thiere erſt zeigt, wie ſie ſich bildet, wobei indeſſen, wenn gehordet wird, darauf beſondere Rückſicht zu nehmen iſt.

Das Alter kann nicht ſehr genau nach der Beſchaffenheit der Zähne beurtheilt werden, indem der Wechſel bei dem einen früher, dem andern ſpäter eintritt und

auch nicht gleiche Perioden hält, so daß die Verschie=
denheit des Alters bei gleicher Beschaffenheit der Zähne
in verschiedenen Heerden um 4—6 Monat abwei=
chen kann.

Einschnitte in die Vorderzähne treten oft schon mit
dem dritten Jahre ein, und die Vollzahl der Zähne
kann bei dem einen Individuum noch geschlossen sein,
während sie bei dem andern schon im fünften Jahr zu
rüsseln anfängt.

In Betreff der Klassifizirung der Heerden stehen fol=
gende Regeln fest.

Die Feinheit darf nicht die erste Grundlage der=
selben sein, sondern dazu muß zunächst die Unterschei=
dung der verschiedenen Merinos=Woll=Arten nach ihrem
Längen=Verhältniß zum natürlichen Wuchse dienen.
Demzufolge werden zunächst 2 Haupt=Abtheilungen ge=
macht, wenn eine Heerde noch verschiedenartige Wolle
in sich enthält: die 1ste bekömmt die Individuen mit
mittelhoch gebogener Wolle, und die andere alles Uebrige,
abgesehen von Feinheit. Bei dieser letzten Haupt=Ab=
theilung können weitere Unter=Abtheilungen gemacht wer=
den, von denen die eine solche Wolle enthält, welche
sich der ersten Haupt=Abtheilung nähert. Diese Methode
führet bei gemischten Heerden am nächsten zum Ziel.

Die erste Haupt=Heerde theile man nach den For=
derungen an einzelne Zuchtthiere ebenfalls in 2 Unter=
Abtheilungen, wenn Stammfähige Individuen vorhanden
sind. Die erste enthält den Haupt=Stamm, aus wel=
chem künftig allein die Stähre genommen werden, in=
sofern sie die erforderlichen Eigenschaften besitzen.

Die Lämmer dieses Stammes von beiden Ge=
schlecht können, wenn keine Spezial=Register geführt
werden, bald nach ihrer Geburt mit einem Loch=Eisen,

das nur der Aufseher bei sich verwahren muß, einmal in einem Ohr bezeichnet werden. Lämmer, welche abarten, bekommen dies Zeichen nicht, und werden nach dem Absetzen von ihren Müttern unter die übrigen Haufen gethan.

Will man mit der Klassification noch weiter gehen, so zerfälle man den Zuchtstamm nach denselben Grundsätzen nochmals in 2 Theile. Weiter gehe man aber nicht.

Alle Stähre, welche sich zur Zucht eignen, classifizire man nicht, sondern man rangire sie einzeln nach ihren besonderen Vorzügen.

Der Werth eines Zuchtthieres wird nach den Graden der erforderlichen Eigenschaften bestimmt, die es an sich trägt. Offenbare Untauglichkeiten der Wolle, und des Körpers, wie in die Augen fallende Ungleichheit der Wolle auf dem Rücken und dem Widerriß; ganz schlichte Haare an den Außen=Enden des Vließes; das Perlen und Strängen der Wolle, klebriger, nicht lösbarer Schweiß und eine allzugroße Schwäche des Körpers, so wie andere Mängel, gestatten keine Zulässigkeit zur Zucht.

An einem Stähr sind zu untersuchen: Woll=Art, Gleichhaarigkeit auf jeder Stelle; Gleichförmigkeit des einzelnen Haares; Gleichartigkeit der Wolle auf den verschiedenen Körpertheilen; Feinheit; Länge; Schwere des Vließes; Grad der Dichtheit; Grad des gleichmäßigen Abstandes; Bewachsenheit am Hinterkopf.

Von diesen Eigenschaften sind die zwei vorletzten nicht zu messen, alle übrigen sind in Größen bestimmbar.

	Die geringsten zulässigen Grade.	Die höchsten Grade.
Bei Stähren.		
1) Die Woll=Art nach dem Längenverhältniß	$1\frac{3}{4}$	$1\frac{1}{4}$

	Die geringsten zuläßsigen Grade.	Die höchsten Grade.
Bey Stähren.		
2) die Gleichhaarigkeit nach der Anzahl der ungleichen Haare unter 20	2.	1.
3) die Gleichförmigkeit nach der fehlenden Anzahl Bogen des ausgewachsenen Haares . ⋮ . .	4.	1.
4) die Gleichartigkeit der verschiedenen Körpertheile nach dem mindern Feinheits = Verhältniß des Kreuzes zum Blatt in den fehlenden Bogen auf 1 Zoll . (6 feine Bogen sind ohngefähr 1 Grad Doll gleich.)	2.	1.
5) Die Feinheit nach der Anzahl der Bogen auf 1 Zoll . . . . Die Kanikel=Stährchen zählen freilich mehr.	24.	28.
6) Die Länge der Wolle in Zoll: und	$3\frac{1}{2}$ \} $1\frac{1}{2}$ \}	$2\frac{1}{2}$.
7) Die Schwere des Vließes in Pfunden \}	$2\frac{1}{5}$.	3.
8) Der Dichtheits = Grad; dieser ergiebt sich annähernd aus der Länge der Wolle und Schwere des Vließes;		
9) Der gleichmäßige Abstand der Haare, das Gegentheil vom Strängen, kann nur nach dem Augenmaaß beurtheilt werden.		

10) Die zusammenhangende Be=
wachsenheit des Hinterkopfs
oder ein Mangel daran fällt
von selbst in die Augen.

Bringen wir die verschiedenen Größen=Maaße dieser Ei=
genschaften auf einerlei Maaßstab zurück, so läßt sich der
absolute Werth eines Zuchtthieres arithmetisch bestimmen,
z. B. in 100 Theilen:

die Woll=Art:

Längen=Verhältniß:	$1\frac{1}{7}$.	$1\frac{1}{2}$.	$1\frac{1}{1}$.	$1\frac{1}{4}$.
in 100 Theilen:	1.	$33\frac{1}{3}$.	$66\frac{2}{3}$.	100.

die Gleichhaarigkeit:

1 ungleiches Haar unter	10.	15.	20.
in 100 Theilen:	1.	50.	100.

die Gleichförmigkeit:

fehlende Bogen in der Spitze }	4.	3.	2.	1.
in 100 Theilen:	1.	$33\frac{1}{3}$.	$66\frac{2}{3}$.	100.

die Gleichartigkeit der Körpertheile:

am Kreuz fehlende Bogen auf 1 Zoll:	2.	$1\frac{1}{2}$.	1.
in 100 Theilen:	1.	50.	100.

die Feinheit:

Bogen auf 1 Zoll:	24.	26.	28.
in 100 Theilen:	1.	50.	100.

die Länge:

in Zoll:	$3\frac{1}{2}$.	3.	$2\frac{1}{2}$.
und	$1\frac{1}{2}$.	2.	$2\frac{1}{2}$.
beide Reihen in 100 Theilen:	1.	50.	100.

die Schwere:

in Pfund:	$2\frac{1}{2}$.	$2\frac{2}{4}$.	3.
in 100 Theilen:	1.	50.	100.

Die sanfte Elaſtizität, die Dichtheit und Gleich=
mäßigkeit des Haarſtandes, ſo wie die Bewachſenheit
des Hinterkopfs werden jede in ihrem höchſten Grade
gleich 100 gerechnet, und bei jedem gegebenen Exemplar
nach ohngefährem Befinden abgeſchätzt.

Der höchſte Grad aller erwähnten 11 Eigenſchaften
oder der höchſte Werth derſelben an einem ſolchen Zucht=
ſtähr wäre alſo gleich 1100; und die an einem Exem=
plar gefundenen Grade jeder einzelnen Eigenſchaft mach=
ten alſo ſo viele 1100tel aus.

Die Anwendung auf gegebene Preiſe=Verhältniſſe
geſchähe auf folgende Weiſe: geringſter Preis 10 Thlr.;
höchſter Preis 230 Thlr. Differenz 220 Thlr., getheilt
in 1100.

Es verſteht ſich von ſelbſt, daß die Anwendung nur
auf Individuen von gleichem Alter und unter übrigens
gleichen Umſtänden gemacht werden kann.

Theilen wir alle vorerwähnten Eigenſchaften eines
Zuchtthieres in 4 Abſtufungen, ſo daß auf eine jede 25
Hunderttheile fallen, ſo läßt ſich auf die verſchiedenen
Grade ihrer Verbindung eine geometriſche Steigerung
des Werthes anwenden; z. B. wenn ſich alle Eigenſchaf=
ten in dem Spielraum von 1 bis 25 hielten, Werth
gleich 1; von 25 bis 50 gleich 2, und ſo weiter.

Bei der Wahl unter mehreren Individuen von glei=
cher Klaſſe verdient dasjenige den Vorzug, deſſen Eigen=
ſchaften zuſammengenommen die höchſte Zahl geben.

Herr Alſen hat dieſen Gegenſtand in einer beſon=
deren Schrift ausführlicher entwickelt. Spezial=Regiſter

lohnt es nur der Mühe über die Individuen der Zucht=
stämme zu führen.

Wo es aber die Umstände nicht wohl zulassen, da
werden zur Begattungs=Zeit die besten Stähre mit den
besten Mutterschaafen zu einer Heerde oder zu Abthei=
lungen auf einem oder mehreren Vorwerken vereiniget.

Sind beide Geschlechter mit Sorgfalt ausgesucht,
so verliert der Besitzer bei dieser Methode, wobei der
Zufall unter dem Besseren sein Spiel treibt, eben Nichts
von Bedeutung für den Augenblick. Nur ist die Einzel=
Paarung belehrender wegen des bestimmten Erfolgs be=
stimmter Fälle, und trägt daher weit mehr zur schnellen
Förderung des Wissenschaftlichen hierin bei.

In Betreff der Lämmerzucht richtet sich die Be=
stimmung der Anzahl nach dem Bedürfniß der Heerde
oder nach dem Futtervorrath, und nach dem letzten auch
die Lammzeit selbst. Diese mitten in den Winter zu ver=
setzen, dagegen hat sich schon die Erfahrung ausgespro=
chen. Nur findet gegenwärtig eine andere Feststellung
der Lammzeit statt, nämlich auf die Mitte November
bis dahin Dezember. Ohne vieljährige Erfahrung läßt
sich über die Vortheile dieser Einrichtung wohl nicht
entscheiden, obgleich der erste Anschein dafür spricht.
Nämlich:

Eine gleiche Nutzungs=Periode von 6 Jahren und
4 Lämmern vom Schaaf vorausgesetzt, erfordern die
November=Lämmer gegen die Februar= und März=Läm=
mer in dieser ganzen Periode einen einmaligen Mehr=
aufwand von einer dreimonatlichen Futterzulage für das
Mutterschaaf und einem dreimonatlichen Unterhalt des
Lammes. Bei einer schlechten Spätherbstweide kann sich
die Zulage für das Mutter=Schaaf in Art und Menge
bedeutend erhöhen müssen. Untersuchen wir dagegen die

6

Vortheile dieser Einrichtung, so wären es folgende. Für's erste eine kräftige Ernährung des Embryo vermöge der guten Sommerweide; ferner der Genuß einer nahrhafteren Muttermilch und eines nahrhafteren Futters gleich nach der Geburt im Vorwinter, folglich Kräftigkeit des Körpers von Anfang an; alsdann mehr, und wenn nicht eine in jeder Rücksicht bessere, doch eine sanftere Wolle, als bei Lämmern, welche im tiefen Winter geboren werden. Ob aber in derselben Nutzungs-Periode 1 Lamm mehr zu rechnen sei, als von Schaafen, die im März geboren sind, dies hebt sich beim ersten Ueberblick, indem zwischen dem nächstvorhergehenden Monat November und der nächsten Verkaufzeit im letzten Lebens-Jahre keine weitere Lammung stattfinden kann. Wollte man aber einwenden, das November-Lamm könne schon im zwei-ten Lebens-Jahre, das März-Lamm aber erst im dritten zur Paarung gelassen werden, so läßt sich dieser Ein-wurf durch die Anwendbarkeit desselben Aufwandes bei März-Lämmern widerlegen. Finden aber bei November-Lämmern außer einem besseren Woll-Ertrage, welcher übrigens die überschießenden Kosten nicht zu decken ver-mag, sonst noch wesentliche Vortheile statt, so bestehen sie erstlich in der für die Schaafmeister wohl zu berück-sichtigenden Erleichterung der Pflege der Mütter und Lämmer während des tiefen Winters, und alsdann in der Fähigkeit der letzten, früher auf die Weide gehen zu können, als die März-Lämmer, und auch gewöhnliche Winternahrung zu sich zu nehmen.

Nur die Versetzung der Lammzeit erfordert einige Jahre, es sei denn daß man Früh- und Spätlämmer zugleich haben will. Im letzten Fall lassen sich die stärksten Zutreter für die November-Lämmer wählen.

Ueber die Dauer der Säuge-Zeit von 11 — 12

Wochen ist man allgemein einverstanden. Was aber leicht übersehen werden kann, ist der Umstand, daß die Lämmer, je besser die Muttermilch gewesen, und je magerer das Futter ist, welches darauf folgt, sichtbar verfallen, und im Wachsthum zurück bleiben.

Ueber den Stand der Veterinär-Wissenschaft.

Die Veterinär-Wissenschaft in Betreff des Schaaf-Geschlechts ist an sich wohl so weit gediehen, als es ohne Selbst-Erfahrung der Aerzte über die Entstehungs-Arten der Krankheiten möglich sein kann. Und so lange denselben keine Gelegenheit gegeben wird, auf Kosten der landwirthschaftlichen Vereine systematische Versuche mit Weiden, Futter und Tränke auf Tod und Leben wiederholt anstellen zu können, so lange wird Kluges und Fades darüber gesprochen und geschrieben werden.

Allgemeine Fingerzeige, der Wahrheit näher zu kommen, giebt die tägliche Erfahrung an die Hand.

Man will es zwar paradox finden, daß die wichtigsten Schaaf-Krankheiten, des Gehirn- und Rücken-Marks und des Blutes zunächst in der Art der Genüsse ihren Grund haben sollen, und doch erweiset sich dies wiederholt auf eine unbestreitbare Weise. Warum zeigen sich diese Krankheiten in einem Jahre geringer, als im andern? Warum geht die Drehkrankheit bei verstärkter Einwirkung schlechter Weide in die Knupper über? Warum kann eine Heerde noch im Stalle von Bleich- und Wassersucht befallen werden? Warum bleibt die nämliche Heerde auf dem einen Vorwerk davon befreit, und, wenn sie versetzt wird, auf dem andern nicht, wenn die Ursachen nicht in der Natur der Weide, des Futters oder des Wassers lägen? Wären diese in der Beschaffenheit der Luft begründet, warum wiederholen sich denn dieselben Erscheinungen immer auf derselben Stelle? Beispiele hierüber anzuführen ist ganz überflüssig, indem sich ein Jeder, welcher bei der Schaafzucht nur einige Jahre verweilt hat, vom Gesagten überzeugt halten wird.

Durch diese Erweise wird aber die Vererblichkeit der einen oder andern der erwähnten Krankheiten noch nicht aufgehoben, obgleich es noch nicht erwiesen ist, daß ein mit zerstörtem Gehirn- oder Rückenmark behaftetes männliches Individuum noch zeugungsfähig sei, wiewohl dieselben Folgen von einer bloßen Disposition vielleicht unbedingt können angenommen werden.

Schluß.

Die bisherige Darstellung der Grundsätze, nach denen bei der Merinos-Schaafzucht verfahren werden muß und wird, ist zu oberflächlich, um für ein vollständiges System zur Selbstbelehrung gelten zu können; sie ist aber ausführlicher, als ein encyclopädischer Artikel desselben Inhalts sein kann, und dient dem Landwirthschafts-Beflissenen zur Hinweisung auf den richtigen Weg und zur richtigen Beurtheilung anderer Schriften, deren Lectüre nicht versäumt werden darf, während sie zugleich dem unbetheiligten Liebhaber der Sache eine kurze Uebersicht des Geschichtlichen und der Verfahrungs-Weise bei der Schaaf-Haltung gewähret.

Es wäre noch manches Nützliche über die Art, wie das Waschen und Scheeren auf verschiedenen Gütern vollzogen wird, zu sagen. Allein dies würde die gegenwärtige Darstellung zu weitläuftig machen. Anziehender wird es dagegen manchem geehrten Leser sein, die Namen solcher Herrschaften und Landgüter hier beisammen zu finden, auf denen gegenwärtig die Merinos-Schaaf-Zucht vorzugsweise getrieben wird.

XV.

Die bekanntesten Merinos = Schäfereien im nördlichen Deutschland.

Es würde aber ein besonderes statistisches Werk erfor= dern, wenn man alle Güter des nördlichen Deutschlands, auf welchen sich Merinos mit Einschluß aller hochver= edelten Schaafe befinden, in geographischer Ordnung und nach den politischen Abtheilungen hintereinander folgen laffen wollte. Für den gebildeten Geschäftsmann wäre auch ein solches überflüssig, indem seine eigene Kund= schaft und der Besuch der Märkte ihn beständig unter= richtet halten. Dem Anfänger können indessen einfache Ortsverzeichnisse nicht anders als willkommen seyn, in= dem sowohl auf Informations= als Geschäfts=Reisen um so leichter eine Kette sich bilden läßt.

Die nachfolgenden Verzeichnisse enthalten unter Vor= ausschickung der bekanntesten vorzüglichsten Heerden des Königreichs Sachsen diese selbst, so wie alle übrigen in unabsichtlicher Ordnung. Sollte daher der Eine oder Andere der Herren Besitzer sein Haupt=Gut nicht auf derjenigen Stelle aufgeführt finden, wohin es eigentlich gehören sollte, so muß ich um Entschuldigung bitten.

Die Namen der Güter sind nicht in alphabetischer Ordnung, indem diese bei dem Gebrauch einer Spezial= Charte zu nichts führen kann.

Königreich Sachsen.

Die Königlichen Stamm = Heerden:
Lohmen,
Rennersdorf,
Stolpe,
Hohenstein.

Klipphausen; Dahlen; Börlen; Gersdorf; Machern; Niedergersdorf; Rothwermsdorf; Dreischkau; Hirsch= stein; Schoenfeld; Heselicht; Lausnitz; Weißlach; Neu= kirchen; Glaubitz; Naundorf; Batzdorf; Augustenberg; Mutschen; Döhlen; Barnitz; Weißtropp; Rothschönberg; Lütschena; Maxen; Gamich; Marschwitz; Collmen; Penig; Rochsburg; Glaucha; Ehrenberg; Waldenburg; Glauschütz; Seegeritz; Groitsch; Gutthal; Leisewitz.

Bis hierher die vorzüglichsten in willkührlicher Ord= nung, und ohne andere ausschließen zu wollen.

Königreich Sachsen.
(Fortsetzung.)

Ebersbach; Lauterbach; Trebsen; Königsfeld; Buch; Mügeln; Kroptowitz; Poltitz; Poltenberg; Falkenhayn; Kienitsch; Leilitz; Gröditz; Munzig; Elbersdorf; Choren; Lampertswalde; Obereule; Winterode; Krautwelke; Grasdorf; Cunersdorf; Bomsen; Schleinitz; Roitzsch; Sahlis; Breitenfeld; Kloschwitz; Nischwitz; Kaeltschau; Wedelwitz; Thalwitz; Röcknitz; Nieder = Jahne; Köbitz; Alt = Oschatz; Mokritz; Trebitz; Zankschwitz; Mücheln; Goseln; Robschütz; Schlettau; Pillnitz; Schladitz; Gün= theritz; Gautsch; Lösnig; Kitschern; Tauben= hayn; Peischwitz; Glaucha; Bockwitz; Poschwitz; Gauerwitz; Groebern; Bonitz; Ketwitz; Lockewitz;

Schönfeld; Bernstein; Lauenstein; Oelsen; Liebstadt; Langhennersdorf; Balzdorf; Waeldgen bei Wurzen; Angermühle; Gauernitz; Muckern; Lausigk oder Geithen; Priesnitz; Flösberg; Meuselwitz; Colitz; Bosnitz; Markendorf; Lossa; Jahne; Frankenhausen; Otterwitsch; Zankerode; Leim; Saalhausen; Schweda; Cannewitz; Dürren-Reichenbach; Hof; Bobelwitz; Barnitz; Balsdorf; Janitshausen; Elschau; Plotha; Cotitz; Calbitz; Zschirla; Belgershayn; Haynichen bei Leipzig; Haynichen bei Altenburg; Ponitz; Groß-Zschocher; Zesta; Baselwitz; Zottowitz; Groeba; Delitz; Sachsendorf; Bornitz; Seyerhausen.

Herzogthum Sachsen mit Ausschluß des Lausitzschen Theils.

Zschepen; Schenkenberg; Storkwitz; Laue; Löbnitz; Lemsel; Döbernitz; Paupitsch; Schwemsal; Kreischau; Zwetau; Hohenpriesnitz; Drossin; Zottowitz; Wiederode; Falkenberg; Dahlewitz; Mauken; Tristewitz; Delitzch; Lösnig; Klöden; Ammel-Justerwitz; Bucholz; Roitsch; Bristäblich; Pretsch; Bobelwitz; Zscheplin bei Delitsch; Pakisch; Seyda; Roitsch; Baselwitz; Rübersdorf; Dahlenberg; Bärendorf.

Gegend von Halle, Halberstadt, Magdeburg ꝛc.

Wollmirstädt; Gr. Wanzleben; Athensleben; Barby; Angern; Kehnert; Neuhaldensleben; Seehausen; Althaldensleben; Kerben; Winningen; Kochstaedt; Hecklingen; Gröningen; Wernigerode; Kloster Burchardi bei Halberstadt; Gottesgnaden; Egeln; Westeregeln; Etgarsleben; Gr. Alsleben; Hackenstaedt; Oschersleben; Schlanstädt; Schraplau; Endorf; Harkerode; Ermsleben; Willerode;

Giebichenstein; Schraplau; Ostrau; Wettin; Rothenburg;
Friedeburg; Brachwitz; Walbeck; Quenstädt; Wiederstaedt;
Greiffenhagen; Klostermannsfeld; Wimmelburg; Sittchen-
bach; Bornstaedt.

Lausitz.

Clausnitz; Lauske; Jenkendorf; Gratz;
Siegersdorf und Kletzschdorf; Crone; Neuendorf;
Waldau; Schreibersdorf; Reibersdorf; Kieß-
lingswalde; Pellmannsdorf; Sellendorf bei Dahme;
Bestow; Boschwitz; Heinsdorf; Ukrau; Strellen; Wir-
chen; Kleinhof; Prestau; Hohen-Ahlsdorf; Reichenbach; Hartmannsdorf; Graefendorf; Reinsdorf; Zagelsdorf; Tornow; Gr. Jeseritz; Klein-Mehse;
Drehna; Herwigsdorf; Lübenau; Dahme; Gersdorf; Schenkendorf; Seese; Gr. Lübenau; Kaem-
men; Saßleben; Ocherrosen; Rettern; Altena; Zinz;
Weissenburg; Markendorf; Glaubitz; Kaße; Krebel; Zagelsdorf; Zscharsitz; Stülpe; Luckau; Martsendorf; Nie-
der-Gurig.

Oberschlesien.

Casimir; Leobschütz; Kalinowitz; Namiest;
Ober-Glogau; Doberau; Dombrowka; Dame-
rau; Schönewitz; Rosen; Sternalitz; Schönwalde; Wieruszczow; Schweinern; Camenz;
Gf. v. Herberstein; Sotoff; Kuchelna; Skrczel-
litz; Eckersdorf; Schlockwitz; Reinsdorf; Eich-
berg; Thomas-Waldenburg; Jacobsdorf; Zülz; Sims-
dorf; Gr. Strehlitz; Neurode; Rosny, Mieluczin,
Johnstohn; Luband; Gletschen; Winscowitz; Schmaardt;
Rugern; Laasan.

Mittel-Schlesien.

Resewitz; Ober- und Nieder-Mühlwitz; Galwitz; Pontwitz; sämmtlich dem Herrn General-Landschafts-Director, Grafen von Dyhrn gehörig. Bernstadt; Buchelsdorf; Schleuse; Trembatschau; Blacwitz; Herr von Buddenbrock; Radschütz; Zobten; Hennigsdorf; Langhelwigsdorf; Rux; Hartlieb; Thielau; Toeschwitz; Hühnern; Gr. Elgut; Neudorf; Teltsch; Barzdorf; Reichelsdorf; Kuhnern; Koeben; Alt-Chemnitz; Krieblowitz; Strien; Backschütz Krumbach; Lampersdorf; Wegmeiler; Goldnitz; Ellgut; Bunkay; Frauenhayn; Schilkwitz; Alt-Wohlau; Rothschloß; Herrnstadt; [Militsch, Craschnitz, Festenberg, Gohschütz,] Graf von Reichenbach; Steissau; Mahlen; Lissa bei Breslau; Kohlhöhe; Peterwitz bei Jauer; Sieblitz; Krolau; Seiffrobau; Zweibrodt; Dürrjentsch; Bankwitz; Camerau; Elend; Schön-Ellgut; Schwarzenau; Randsau; Malitsch; Schillkwitz; die Gf. Yorkschen Besitzungen; Panten; Seedorf; Boberau; Leisersdorf; Zobten bei Löwenberg; Pantenau; Polschildern; Rettkau; Weissenrode; Kummernick; Petersdorf; Blumen; Mittelsteinsdorf; Schierau; Nieder-Thomas-Waldau; Alt-Wardau; Ottendorf; Hollstein; Güldenström; Abelsdorf; Mobelsdorf; Göllschau; nebst denjenigen Schäfereien, aus welchen für Ostpreußen angekauft wurde, und welche hier nicht alle genannt sind.

Niederschlesien und Gränze der Neumark.

Kaltwasser; Sieben-Eichen; Wiesenthal; Tauer; Mallwitz; Linderode; Herzogswalde; Mittelseifersdorf; Streibelsdorf; Warthau; Wolffshagen; Siegersdorff bei Freystadt; Leissersdorf; Sorau.

Groß-Herzogthum Posen.

Owinsk; Kaczewo; Lewitz; Kl. Kirschbaum; Lieben; Polajewo; Czaicze; Lyskowo; Filehne; Zamostrelle; Zamoczin; Wirsitz; Grabionne; Crojanke; die Königl. Holländische Herrschaft bei Kosten; Stenczewo; Dombrowka; Bialosliwe; Goszieiwo; Czoncin; Kobelnik; Kruschwitz; Istrellno, Czerbone; Wieczeczin bei Bromberg.

Die östlichen Provinzen des Königl. Preuß. Staates.

Gegend zwischen der Memel und Weichsel.

I. Lithauen.

Kreis Angerburg: Steinort; Sperling; Angerapp. Kreis Darkehmen: Gailboden; Webern; Beinunen; Menkimmen; Ernstburg; Eischerischken; Königsfelde; Wilhelmsberg; Kleczowen; Tarputschen; Julienfelde. Kreis Goldapp: Groß Blandau. Kreis Gumbinnen: Plicken; Buylin; Grünwaitschen; Czirgupönen; Brakupönen; Blumberg; Staneitschen; Kieselkehmen; Nemmersdorf. Kreis Insterburg: Laugallen; Friedrichsgabe; Lugowen; Pieraginen; Norkitten. Kreis Lyck: Skomatzko; Strabaunen; Lyck; Baitkowen. Kreis Pillkallen: Kussen; Löbegallen; Krumbkowkeiten. Kreis Oletzko: Drosbowen; Zebranken; Nordenthal; Wensöwen; Statzen; Czychen; Polommen. Kreis Ragnit: Tussainen; Kindschen; Gerskullen; Lesgewangminnen; Sommerau; Wischwill; Kassigkehmen. Kreis Sensburg: Sorquitten; Broedinen. Kreis Stallupönen:

Geritten; Tollmingkehmen; Waldukabel; Sodargen; Enzunen. Kreis Tilsit: Schreitlaugken; Baubeln.

II. Ostpreußen.

Kreis Allenstein: Nickelsdorf; Pathaunen. Kreis Braunsberg: Wölke; Gr. Körpen. Kreis Pr. Eylau: Pr. Eylau; Sißlack; Nerften; Tolx; Borken; Wildenhof; Geisleiden; Graventhin; Kilgis; Knauten; Neußen; Penken; Gr. Waldeck. Kreis Fischhausen: Kirschnenen. Kreis Pr. Friedland: Abbarten; Domnau; Galben; Redden; Krafts-hagen; Hermenhagen; Liekeim; Puschkaiten; Posthenen; Gr. Schwaraunen; Sehmen; Schönbruch. Kreis Gerdauen: Gnie; Korklack; Willkam; Kur-kenfeld; Abellinen; Lonschken; Polleiken; Trunt-lack; Standau; Laggarben; Stablack; Gerdauen. Kreis Heiligenbeil: Brandenburg; Bregden; Car-ben; Kaimgallen; Groß Klingbeck; Kobbelbude; Lindenau; Luisenhof; Kukehmen; Kuppgallen; Rossen; Schettninen; Willkenit. Kreis Heils-berg: Dittrichsdorf; Elditten; Klotainen. Kreis Preuß. Holland: Neu-Kußfeld; Wiese; Hohendorf; Juden; Canthen; Behlenhof; Weeskenit; Solainen; Stol-len; Wickerau; Schlobitten; Podangen; Ellend; Draulitten; Weeskenhof; Pr. Mark; Schlobien. Kreis Königsberg: Arnau; Friedrichstein; Trem-pau; Kappkeim; Nesselbeck; Condehnen; Rinau; Kuggen; Subbenicken; Willkühnen. Kreis La-biau: Paddem; Droosten. Kreis Memel: Proekuls. Kreis Mohrungen: Mothalen; Prökelwitz; Jaesch-kendorf; Maldeiten; Terpen; Venedien; Besten-dorf; Sassen; Glocken; Reichertswalde; Kalli-sten; Kloben; Banners; Saeubersdorf; Nege-

lack. Kreis Neidenburg: Balden; Grobtken; Kosflau.
Kreis Osterode: Langguth; Fröbau; Schmückwalde;
Hasenberg. Kreis Ortelsburg: Gr. Borken; Jablonken. Kreis Rastenburg: Dönhcfstaedt; Langheim; Prassen; Schrengen; Salzbach; Tolxdorf;
Warnickeim; Wendehnen. Kreis Rössel: Bansen; Mol-
ditten. Kreis Wehlau: Kleinhof-Tapiau; Po-
dollen; Eiserwagen; Neumühl; Koppershagen;
Sanditten; Schrombehnen.

III. Westpreußen auf dem rechten Weichsel-Ufer.

Kreis Elbing: Cadienen; Neu-Schönwalde;
Drewshof. Kreis Stuhm: Stangenberg; Bruch;
Buchwalde; Gr. Wapplitz; Trankwitz. Kreis Christ-
burg: Plonaken. Kreis Marienwerder: Kloetzen; Ger-
men; Neudörfchen; Zitschen; Gr. Krebs. Kreis Grau-
denz: Leistenau; Kittnowo; Zawda; Schönwalde; Swen-
ten; Dombrowken; Mellno; Zakreczewo; Ellernitz;
Bialloblott; Roggenhausen; Rheden; Czumillowo; En-
gelsburg; Czepanken. Kreis Rosenberg: Gr. Bel-
schwitz; Neudeck; Finkenstein; Brunau; Nipkau;
Groß Jauth; Schönberg; Goldau; Langenau;
Ludwigsdorf; Gr. Falkenau; Faulen; Brausen;
Januschau; Heinrichsdorf; Raudnitz; Limbsee; Plau-
then; Pachutken; Kl. Tromnau; Peterwitz. Kreis
Löbau: Löbau; Longkorreck. Kreis Strasburg: Dem-
bowalonka; Gr. Konojad; Jablonowo; Sumowo;
Guttowo. Kreis Culm: Ostrometzko; Gezyn; Grubno;
Trzepcz; Mgocz; Gorinnen; Blendowo; Wychorce;
Storlus; Baierce; Althausen. Kreis Thorn: Stawkowo;
Wypcz; Kuczwalli; Wymislowo; Zelgno; Grabia.

Unter den hier zuvor verzeichneten besten Heerden zwischen der Memel und Weichsel sind die hiernächst folgenden von der Beschaffenheit, daß sie, um von einzelnen nicht mehr zu sagen, in Bezug auf Wollzucht und wirthschaftliche Vortheile zugleich keine Verbesserungen zu wünschen übrig lassen, die als wesentlich betrachtet werden könnten. Sie folgen hier nach dem Alphabet:

Banners; Beisleiden; Belschwitz; Blumberg; Buylin; Ezirgupönen; Dembowalonka; Drewshof; Eischerischken; Faulen; Grubno; Hohendorf; Jablonken; Jaeschkendorf; Julienfelde; Kaimgallen; Kappkeim; Korklack; Kraftshagen; Langgut; Ludwigsdorf; Nerfken; Neudeck; Neuschönwalde bei Elbing; Nordenthal; Plauthen; Rinau; Rossen; Schmückwalde; Schlobitten; Schoenberg; Schrengen; Stablack; Staneitschen; Steinort; Truntlack; Tussainen; Wilhelmsberg; Willkenit.

Diesen gleich zu achten sind die Haupt=Heerden und Stämme folgender Güter, deren übrige Heerden in wenigen Jahren ausgeglichen erscheinen werden:

Graventhin; Gerskullen; Gr. Borken; Kallisten; Kilgis; Kindschen; Kleinhof Tapiau; Knauten; Königsfelde; Koppershagen; Langheim; Lesgewangminnen; Lugowen; Nickelsdorf; Pieraginen; Prassen; Puschkaiten; Redden; Romsdorf; Sanditten; Schönbruch; Schreitlaugken; Sehmen; Sorquitten; Schettninen; Schlobien; Tolx.

Die hier gegebenen Auszüge gründen sich blos darauf, daß ich die darin aufgeführten Heerden noch in den letzten 5 Jahren speziell untersucht habe.

Die noch fehlenden Merinos=Schäfereien aus dem nördlichen Deutschland folgen bei einer andern gelegentlichen Schrift nach.

Schließlich ist noch zu berichtigen, daß die im Laufe

dieses Jahres in Dresden zu Markt gekommene Wolle von einigen öffentlichen Zeitschriften auf 40—50 Tausend, von anderen auf 20 Tausend Stein angegeben worden ist. Diese letzte Angabe hat die Wahrscheinlichkeit für sich, wobei zugleich der unverkaufte Rest nur gegen 2000 Stein oder c. 400 Centner geschätzt wird.

XVI.

Ueber die mögliche Verschwindung der Merinos- und hochveredelten Schaafe.

Eingeführte Thier-Rassen können leicht wieder verloren gehen, wenn die Kenntniß zur Leitung der Zucht oder auch das Interesse für ihre Fortdauer fehlt.

Das erste scheint mit den beiden Anschaffungen in Spanien für das Königreich Preußen in den Jahren 1786 und 1802 der Fall gewesen zu sein. Jene Schaafe sind zerstoben, so daß man auch keine Spur mehr von ihnen weiß. Von den anderen hat Schreiber dieses noch vor 15 Jahren in einer davon abstammenden Heerde eine bedeutende Anzahl vorzüglicher Zuchtthiere gefunden. Allein damals legte man noch keinen Werth auf die feineren Unterschiede der Zuchtthiere, und auf das Alter einer Rasse. Daher hatten sich die ursprünglichen Abkömmlinge immer mehr verloren, und die Mehrzahl bestand bloß aus mittelmäßig veredelten Schaafen, welche nur den starken Schweißtrieb geerbt hatten. Weil man sich aber mit der Schaafwäsche noch nicht so zu helfen wußte, wie gegenwärtig, so wurden sie von den Besitzern allmählig abgeschafft. Ein Theil jener Schaafe war bekanntlich auf die Herrschaften des Fürsten von Lichnowski gekommen, wo sie zu dem bald darauf so berühmt gewordenen Stamme vielleicht vieles beigetragen haben mögen.

Erkünstelte Schaaf=Rassen gehen um so leichter verloren, als dies Geschlecht ohnehin im zahmen Zustande so sehr zu Abweichungen geneigt ist, wenn nicht die Wahl der Zuchtthiere auf das Sorgfältigste im Sinne des Zwecks unterhalten wird.

Gegenwärtig aber sucht man sogar die besten Merinos absichtlich wieder zu verdrängen, und andere Rassen in der Hoffnung einer größeren Einträglichkeit an ihre Stelle zu setzen. Die angeführten Gründe sind folgende. Fürs erste scheint den Besitzern das Verhältniß des Werth=Ertrages zwischen den feineren und minderfeinen Merinos zum Nachtheil der ersten zu bedeutend gewichen zu sein, und die letzten offenbar mehr einzubringen. Ferner die Unterhaltungs=Kosten der minderfeinen kommen ihnen geringer vor, und der Mehrertrag ihrer Wolle scheint ihnen die Differenz eines geringeren Preises bei weitem zu überwiegen. Auch zeigen ihnen minderfeine Schaafe mehr Ausdauer, und sind nicht so leicht Krankheiten unterworfen. Die Veranlassungen dieser Ansichten waren folgende.

Fürs erste hielt man zu leichtwollige Schaafe. Nach der Einführung der Veredlung wurde die kürzere und feinere Wolle immer am höchsten bezahlt, wie noch heute, nur wegen ihrer anfänglichen Seltenheit in einem höheren Verhältniß. Feinheit besonders war die Losung,

In Ermangelung der geeignetsten Zucht=Thiere oder der Bekanntschaft mit ihren Erfordernissen griff man zu der bekannten Abart der Seidenspinner, welche jedem Züch= ter bekannt sind. Für den mit der Sache minderbe= kannten Leser sei hier bloß erwähnt, daß so wohl von gemeinen Schaafen, als von Merinos oder ihren Ab= kömmlingen oft Schwächlinge entstehen, deren Zartheit des Körpers mit der übrigen Rasse gar keinen Vergleich aushält. Bei den Merinos geben die Ewachsenen die= ser Abart oft nur ¼ Pfd., und wenn es hoch kömmt 1½ Pfd. der allerfeinsten und zartesten Wolle, welche noch die Lamm=Wolle ihrer Rasse übertrifft. Bei dieser Wolle fanden die Sortimentshändler fast ein noch grö= ßeres Interesse als die Fabrikanten selbst, indem jene die höheren Sortimente damit ausschmückten, und durch ihre Empfehlungen auch viel zur Verbreitung dieser Rasse oder vielmehr Abart beitrugen. Allein diese Wolle wurde den Produzenten nicht so bezahlt, daß sie ihre Rechnung dabei hätten finden können. Wäre dies aber auch der Fall gewesen, so standen doch der Haltung und Fortzucht solcher Schwächlinge zu viele Hindernisse im Wege. Sie sind nämlich gegen Nahrungs=Mittel und äußere Eindrücke sehr empfindlich, zur Fortpflanzung wenig geeignet und für alle Arten von Krankheiten am ersten disponirt. Kaum daß sie bei etwas magerem Fut= ter ihr Leben fristen, und im Laufe desselben drei gesunde Lämmer zur Welt bringen, welche die Kräftigkeii der Mutter haben. Selten ist es, wenn das erste und letzte Lamm ohne Ammen fortkommen. Ihre Lebens=Dauer ist kurz und zum Fettmachen taugen sie gar nicht. Merk= würdig ist es, daß sie oft von Stamm=Eltern erscheinen, welche äußerlich nicht das geringste Merkmahl einer sol= chen Abartung an sich trägen. Die Kaufleute empfah=

len diese Wolle, ohne zu wissen oder zu bedenken, wie sehr das Interesse der Schäferei-Besitzer dabei gefährdet ward. Proben von solcher Jährlings-Wolle galten für die höchsten zu erstrebenden Muster.

Kam zu der an sich so kärglichen Wollergiebigkeit der beschriebenen Rasse eine schlechte Ernährung und Pflege, und in Folge derselben das Wollfressen der Lämmer noch hinzu, so blieb von Wolle fast gar nichts mehr übrig.

Wer keinen eigenen Zuchtstamm hatte oder zu haben glaubte, wurde von anderen Besitzern mit dergleichen versehen, und durch die hohen Wollpreise geblendet zur Bezahlung eines theuren Preises verleitet.

Es lag in der Natur der Sache, daß diese Abarten auf die Länge der Zeit mit minderfeinen, aber reichwolligeren und robusteren Schaafen keine Vergleichung aushalten konnten. Indessen zeigten sich den Besitzern erst nach mehreren Generationen die Folgen jener Wahl in den nachtheiligsten Verhältnissen der Preise zu der Wollmenge und in der größten Schwierigkeit ihrer Erhaltung. Sie waren schon ziemlich allgemein — und zwar unter dem Namen erster Elektoral-Rasse — verbreitet, und bis jetzt haben sich ihre Spuren nach so vielen Jahren noch nicht ganz aus der Mehrzahl der Individuen mancher Heerde verwischen können.

Wahrscheinlich lag auch in der späteren gänzlichen Ausrottung derselben aus den Königl. Sächsischen Stammheerden, welche ebenfalls dergleichen gehabt haben konnten, der Grund des Vorwurfs auf der Leipziger Zusammenkunft im Jahr 1823, daß sie nämlich nicht mehr so viele Elektoral-Wolle lieferten, wie früher, ein Vorwurf, welchen, insofern diese Vermuthung richtig wäre, die Administration wohl auf sich nehmen konnte, indem

sie eine Raffe unterdrücken half, welche den besten Heerden des Landes einen frühzeitigen Untergang hätte be-
reiten können.

Eine andere Ursache der verfehlten Eigenschaften
der Zuchtthiere lag in der frühzeitigen Auswahl der
Stammböcke schon als Lämmer, die oft von den unwif-
sendsten Menschen getroffen wurde, worauf alle anderen
männlichen Geschlechts sogleich auf immer unbrauchbar
gemacht wurden. Diesen Modus behielt man hin und
wieder noch bei, als man schon die Kosten der jährlichen
Sortirung der Heerden anwandte.

Außer diesen Mißgriffen in der Wahl der Zuchtthiere gab es aber auch andere davon unabhängige Ursachen, welche den Woll-Ertrag der Heerden schmälern
mußten. Diese lagen in der Art, wie dieselben gehalten
und wie die Zuchtstämme benutzt wurden. Theils hatte
man noch keine gehörige Einrichtung der Weide getroffen, theils reichte man den Schaafen zu wenig Nahrung
oder Tränke oder beides zugleich. Ein solches Verfahren hatte entweder in der Verkennung seines eigenen
Vortheils bei besserem Wissen, oder in der Unbekannt-
schaft mit der Sache seinen Grund. Den höchsten Woll-
Ertrag suchte man in der größten Anzahl der Köpfe.
Wie viel einem Schaaf an gewöhnlicher guter Heu-Nahrung zukomme, um nicht nur sein Dasein zu fristen, sondern auch Wolle zu erzeugen und ein Lamm zu ernähren, darüber waren lange Zeit die Meinungen noch sehr
getheilt, eben so wie über das Verhalten der Surrogate
in ihrem besten Zustande. An eine mögliche Verschiedenheit in jeder Art von Futter für sich genommen
wurde zu wenig gedacht. Die Zulage der Lammschaafe
bestand gewöhnlich in einer gemischten Tränke. Daburch
werden aber die Schaafe verwöhnt. Reines Wasser sau-

fen sie nicht mehr. Die Zuthaten in Schroot oder Oel=
kuchen sind theuer. Die Portionen bleiben zu knapp,
und die Vierzähner sitzen mit ihren Lämmern in Ver=
schlägen, weil sie keine Milch haben, und auch keine
haben können. Auch für die gewöhnliche Tränke fehlte
es an Vorrichtungen. In Ermangelung der Nähe des
Wassers ist das weite Treiben der Schaafe bei schlech=
ten Wegen beschwerlich und bei starkem Frost kaum zum
Wasser zu gelangen; es gefriert, so wie auf dem Eise
Rinnen aufgehauen werden; oder wenn das Wasser weit
zu tragen ist, so bekommen die Schaafe in der Regel
zu wenig. Die Eimer=Tränke bei vielen gleichzeitig ab=
zusperrenden Schaaf=Müttern taugt deshalb gar nicht.

Wie ließe sich wohl bei solchen und ähnlichen Ein=
richtungen und Handlungs=Weisen eine Beförderung des
Wollwuchses erwarten! Was lebendig geboren wird,
stirbt haufenweise am Wollfraß oder vor Mangel, wenn
nicht schon der Embryo erstickt ist.

Endlich führte eine zu frühe Anstrengung der Kräfte
durch den beständigen Gebrauch des Zulassens der Jähr=
linge zur Begattung und durch die Zutheilung einer
zu großen Anzahl Mutterschaafe für einzelne Stähre
nothwendig eine Schwächung und Verkleinerung der
Rasse, und mit denselben ein minderdichtes und kleineres
Vließ herbei. Dies war ebenfalls einer von den Punk=
ten, welche auf dem Leipziger Woll=Convent nicht ge=
nugsam widerlegt wurden, indem nur Ausnahme=Fälle
dazu bienen sollten. Es ist aber doch ein Unterschied,
ob ein heranwachsendes Individuum nur einige Mal
oder für beständig seine Kräfte hergeben soll.

Die Folgen eines zu frühen Gebrauchs sowohl des
männlichen, als des weiblichen Geschlechts zur Zucht
zeigen sich, wenn auch nicht an den nächsten, doch an

den späteren Generationen, indem sie an Größe und Kraft zurückbleiben, was sich beim ersten Ueberblick über eine Heerde bemerken läßt, welche noch zum Theil eine ältere Raſſe von einem größeren und kräftigeren Bau enthält. Dieſelbe Beobachtung läßt sich an den Nach- kommen alter ſchwacher Mütter und an den letzten Sprößlingen entkräfteter Stähre aus demſelben Jahr- gang ohne viele Mühe machen. Außerdem wirken ſchwache Stähre ſelbſt auf die Veredluug zu wenig ein.

So waren die Einrichtungen und das Verfahren in der Schaaf=Zucht, bei denen man den Werth=Ertrag einer feinwolligen Heerde nicht mehr befriedigend ſand.

Manche, welche auch ihren Vortheil beſſer verſtan- den, und das Gegentheil befolgten, machten wieder zu große Forderungen an die Ergiebigkeit feinwolliger Schaafe, und mochten ſich nicht mit 2 Pfd. im Durch- ſchnitt mit Ausſchluß der Lämmer begnügen.

Aus dieſen Gründen ließen ſich nun ſo ſehr viele Beſitzer bewegen, anſtatt in die richtige Bahn einzulen- ken, faſt ohne alle weitere Berückſichtigung der übrigen Erforderniſſe der Zucht=Thiere nur nach Vielwollig- keit zu ſtreben.

Durch dieſe Richtung der Merinos=Zucht, worin mancher Beſitzer von dem Abnehmer ſeiner Wolle jetzt im entgegengeſetzten Sinne gegen frühere Empfehlungen beſtärkt wird, um jedem Vorwande einer Preis=Erhöhung vorzubeugen, ſind aber die hochveredelten Heerden in Gefahr, allmählig von anderen minder edlen Raſſen ver- drängt zu werden, was denn um ſo leichter geſchehen kann, wenn ungünſtige Zufälle, z. B. naſſe Jahre, hin- zutreten. Auf dieſe Weiſe können ganze Striche, Pro- vinzen und Länder ihrer beſten Raſſen los werden.

Merinos=Schaafe und die ihnen zunächſt ſtehenden

find. aber ein National = Gut, deren Wolle durch keinen andern natürlichen Stoff, selbst nicht von verwandter Art ersetzt werden kann.

XVII.

Ueber die Bedingungen der Vergleichung des Werth = Ertrages verschiedener Schaaf = Arten und Raſſen.

Um dahin zu gelangen, müſſen wir auf die Unter= ſuchung des Ertrages einer ganzen Wirthſchaft zurück= gehen, in welcher und durch welche eine Heerde nur als Ganztheil nützen kann.

Da, wo die Oertlichkeit die freie Wahl in der Be= nutzung beſchränkt, fällt alle Vergleichung zwiſchen den anwendbaren und nicht anwendbaren Bewirthſchaftungs= Methoden von ſelbſt weg.

Wenn aber auf einem gegebenen Gute verſchiedene Syſteme anwendbar ſind, welche nicht in dem nämlichen Jahre abſchließen, da müſſen zur Vergleichung ihres Ertrages von beiden Seiten ſo viele Rotationen berech= net werden, als nöthig ſind, um in einem Jahre mit einander zu enden.

Bei zwei verſchiedenen Wirthſchafts=Syſtemen kann ein beſtimmter Zweig, wie die Schaaf=Zucht, in dem einen minder einträglich ſein, als in dem andern, der

Total=Ertrag des ersten aber im entgegengeseßten Ver=
hältniß stehen, aber auch so umgekehrt. Bei verschie=
denen Arten von Bewirthschaftungen können also Ertrags=
Vergleichungen der nämlichen Zweige zu Nichts führen.
Diese können nur da angewandt werden, wo auf beiten
Seiten dieselben Verhältnisse der Wirthschaften statt=
finden.

Gleiche Bedingung ist auch erforderlich, wenn zwei
verschiedene Zweige in Hinsicht ihres Ertrages mit ein=
ander verglichen werden sollen. Dies kann nämlich nur
dann erst zu einem bestimmten Resultat führen, wenn
bei dem unterstellten Wechsel des einen Zweiges mit dem
andern alles Uebrige gleich bleiben kann, und außer je=
nem Wechsel nicht die mindeste Veränderung vorgenom=
men werden darf.

Bei verschiedenen Schaaf=Arten läßt sich also eine
Vergleichung ihrer gegenseitigen Rente nur dann an=
stellen, wenn sie gleiche Lebens=Art theilen können, wie
z. B. bei einer Stallfütterung zwischen Niederungs= und
Höhenschaafen, aber nicht, wenn der eine von beiden
Theilen oder beide zu gleicher Zeit die verschiedenartigen
Weiden genießen sollen. Anwendbar ist ferner eine solche
Vergleichung zwischen gemeinen Landschaafen und Me=
rinos, indem die eine Art an die Stelle der andern tre=
ten kann, gleiche Angewöhnung an Aufenthalt und Be=
handlung vorausgesetzt.

Es kann indessen nur noch der Unterschied dabei
stattfinden, daß für eine gewisse Kürze der Weide=Nah=
rung auch nur eine gewisse Körpergröße bestimmt wer=
den mußte.

Eine solche Untersuchung muß aber nicht nur alle
Kosten und alle Ertrags=Zweige als Gegensätze umfassen,

sondern sie muß auch auf die ganze Nußungs=Periode des Schaafes, z. B. auf 6½ Jahre ausgedehnt werden.

Wenn aber über eine Landwirthschaft noch keine Gene=ral= und Spezial=Ertrags=Rechnungen geführt werden, da bleiben separate Aufstellungen von dem Ertrage einzelner Zweige besonders in Betreff ihres Antheils an allgemei=nen Particular=Unkosten leicht zu unvollständig.

XVIII.

Ertrags=Vergleichung zwischen hoch= und mittelmäßig veredelten Schaafen.

Die vorgeblichen Behauptungen der Neuerer lassen sich aber durch Erfahrungs=Gründe sämmtlich widerlegen. Erstlich: in Betreff des Unterhalts nimmt das Merinos mit den geringsten Futter=Arten vorlieb, bei denen ein veredeltes nur bestehen kann. Es genießt Heidekraut, Genister und Stroh eben so gut, wie das veredelte. Durch Angewöhnung kann es eben so gut von einer Nahrung zur andern übergehen, wie dieses. Was aber für das eine unverdaulich und ungesund ist, ist es auch für das andere. Nahrungsmittel, welche veredelter Wolle zuträglich und nährend sind, sind es auch für die feine echte; was das Wachsthum der veredelten befördert, übt denselben Einfluß auf die beste. Sind die gewöhn=lichen Nahrungsmittel schlecht, so bedarf das veredelte

Schaaf ebensowohl der Surrogate, als das Merinos.
Das letzte bedarf aber eben so wenig der Körner, als
das veredelte, wenn es gewöhnliches Futter in gehöriger
Beschaffenheit und Menge bekommen kann. Es bedarf
auch nicht mehr Nahrung, als dieses. Wobei das Merinos zu Grunde geht, dabei kann das veredelte auch
nicht bestehen, und um so weniger, als eine jede in der
Umwandlung begriffene Rasse nicht die körperliche
Dauerhaftigkeit besitzt, als eine darin vollendete. Diese
Erfahrung bietet sich erst nach vielfältigen Beobachtungen dar. Soll die Wolle eines veredelten Schaafes in
bester Beschaffenheit und Menge erzeugt werden, deren
dasselbe fähig ist, so bedarf es derselben Nahrung, War-
tung und Pflege wie das Merinos bei gleicher Aufgabe.
Einwürfe durch Beispiele mit dem Minimum von Nahrung zur Lebensfristung verwaiseter Heerden gelten hier
nicht. Die Rede ist hier von den Bedingungen der
besten Nutzung. Das veredelte kann so wenig hun-
gern, wie das Merinos, ohne die Wolle fahren zu lassen; in nassen Jahren gehen, wenn sie nicht in Acht genommen werden, veredelte Heerden so wohl verloren,
als Merinos-Heerden unter denselben Umständen; die
veredelten ertragen nicht mehr Kälte und Nässe, als
diese. Mit der Ueberwinterung der Merinos im Freien
sind im Gegentheil in Polen und Ungern glückliche Versuche gemacht worden, ob dies gleich nicht beständiger
Gebrauch werden könnte; für die Zuzucht ist das Merinos eben so vortheilhaft, als das veredelte. Ist es
einmahl angewöhnt, so hat es in der Lebensdauer noch
Vorzüge. Schreiber dieses kennt mehr als ein Beispiel,
daß selbst versetzte Schaafe noch im 15. Jahre Lämmer
bekommen haben, und noch im 20. Jahr mit auf die
Weide gingen.

Die übrigen Unterhaltungs-Kosten sind für beide Arten dieselben.

Derjenige Besitzer, welcher seine Heerden im Laufe der Veredlung stehen lassen will, erspart zwar für den Augenblick die Anschaffungs-Kosten neuer Stähre, aber ein größerer Verlust wartet seiner in der Zukunft.

Die nützlichste für Jedermann erreichbare Merinos-Raffe ist diejenige, welche im erwachsenen Zustande bei einem nicht übermäßigen Unterhalt von 2 Pfd. Heu-Nahrung durchschnittlich 2 Pfd. der besten, mit Zuverlässigkeit fortzupflanzenden Wolle erzeugt, so daß in einer Heerde auf den Jährling ohngefähr 1½ Pfd., auf das Mutterschaaf 2 Pfd. und auf den Hammel 2½ Pfd. zu rechnen sind. Mit einer solchen Schwere der Bließe lassen sich noch die besten Eigenschaften der Merinos-Wolle verbinden.

Theilen wir die veredelten Schaafe in 2 Klaffen, während wir die hochveredelten als echte Merinos betrachten, in so fern sie die dahin gehörigen Forderungen erfüllen, so ergiebt sich das Gewichts-Verhältniß bei gleichem Unterhalt und unter übrigens gleichen Umständen für jene 3 verschiedenen Abtheilungen aller Erfahrung zufolge, wie hier steht: das gering veredelte Schaaf erzeugt 2½ Pfd. Wolle, das veredelte von mittlem Grade 2¼ Pfd. und das Merinos 2 Pfd. Wolle.

Mit einer Veränderung der Nahrung treten auch Veränderungen in den Zahlen ein, aber das Verhältniß wird nicht verrückt. Unter allen Annäherungen bestätiget sich die hier angenommene in den allermeisten Fällen.

Das Preis-Verhältniß zwischen feiner und gering veredelter Wolle stand vordem allerdings viel höher, in der Regel wie 3 zu 1, oft wie 4 zu 1. Aber durch

die Vervollkommnung der Fabrikatur in Verbindung mit
der Vermehrung hochveredelter Heerden hat es sich seit
mehreren Jahren niedriger gestellt, und wird auch ohne
besondere Veranlassungen seine vorige Höhe schwerlich
für immer wieder erreichen. Zu diesen allgemeinen fort=
dauernden Einflüssen gesellten sich noch in den letzten
unruhigen Jahren ein verminderter Absatz feiner Tuch=
waaren im Welthandel, und bei den Rüstungen so vieler
Mächte ein verstärkter Begehr nach mittelfeiner und gut
ordinärer Waare. Dadurch aber hob sich die größere
Einträglichkeit echter Merinos = Wolle noch nicht auf.
Das Preis = Verhältniß zwischen dieser und der gering
veredelten Gattung blieb nämlich wie 2 zu 1 stehen,
und so steht es noch. Also:
Gering veredelte 2⅓ u. gut vered. 2¼ u. echte Merinos: 2 u.
Preis = Verhält=

niß	. . . . . . 1 =	. . . . . 1½ =	. . . . 2 =
Differenzen	2⅓.	3⅓.	4

XIX.

Weitere Aussichten für die Vortheile der Merinos = Schaaf = Zucht.

Merinos = Wolle bleibt Bedürfniß, ohne ein Ersatz= Mittel neben sich zu haben. Ihr einziger Verbrauch besteht noch in ihrer Verwendung zur Bekleidung, ein Beweis, daß die bis jetzt erzeugte Masse zur Befriedi= gung dieses Bedürfnisses noch nicht hinreicht.

Für diejenigen Länder, welche bis jetzt Merinos= Schaafzucht getrieben haben, kömmt wohl die Mitbe= werbung Süd=Rußlands und Australiens ins Spiel; allein mit der Ausbreitung der Schaaf=Zucht in die= sen Ländern geht es für das erste nicht so schnell, als die sanguinischen Hoffnungen erwarten ließen. Die herrschenden Extreme der Witterung in Europa haben ben Bestand im Allgemeinen ziemlich verkleinert, und die Production von Australien beträgt gegenwärtig im= mer noch nicht mehr, als von der Einfuhr Großbritan= niens $\frac{1}{15}$, und von aller Merinos=Wolle in Europa ohn= gefähr $\frac{1}{60}$ — $\frac{1}{10}$. Hernach ist zu erwarten, daß neben der allmähligen Steigerung der Wollerzeugung in den genannten Ländern sich auch die Consumtion allmählig vermehren wird, sowohl in Rußland selbst, als in den andern Welttheilen, so wie Gesittung, Freigebung der Sklaven, Industrie und Handel Fortschritte machen.

Die Aussichten, welche die Eisenbahnen von Suez und Panama eröffnen, lassen ihr Ende noch nicht absehen. Mit Hülfe der Dampf=Schifffahrt wird die Zeit für Geschäfte verkürzt, es werden nicht mehr so große Fonds zu Unternehmungen in die Ferne erfordert, der Zinsenbelauf bleibt geringer, alles läßt sich mit mehr Zuverlässigkeit berechnen und ausführen, und Waaren = und Stoff=Preise werden stetiger. Der bisherige Englische Handel in Wollen = Waaren nach Ostindien und China, welcher direkt geführt wird, beträgt nach öffentlichen Angaben erst gegen 1 Million Pfund Sterling. Uebrigens nimmt in Colonien die Vieh=Zucht in dem Grade wieder ab, als die Bevölkerung zunimmt.

Die Merinos=Wolle insbesondere wird vor der Langwolle immer den Vorzug behalten. Jene kann diese, diese aber nicht jene ersetzen. Die Merinos=Wolle allein giebt die schöne Decke auf der Fläche des Zeuges; ihr Farben=Lüster, so wie ihre Erwärmungs=Fähigkeit und Dauerhaftigkeit im gewalkten Gewebe sind für andere Woll = Gattungen unerreichbar.

Die gemeine Wolle, die mittelmäßig veredelte und die echte Merinos = Wolle standen während der letzten 7 Jahre bei allen höheren oder niedrigeren Preisen in folgendem sehr nahe zutreffenden Verhältniß wie: 1. 1⅕. 3. Und diejenigen Gattungen, welche sich um das Mittel der beiden letzten drehen, sind für Jedermann erzielbar.

Die Englische Landwolle stand früher zwischen 8 und 12 Pences oder 6⅔ bis 10 Silbergroschen das Pfund. Seit der Freigebung der Ausfuhr aber und bei dem allgemeinen Begehr nach Wolle jeder Art ist sie auf das Doppelte gestiegen, nämlich auf 20 Silbergroschen. Dennoch aber hat der Deutsche Landwirth,

welcher sowohl Niederungs- als Höhen-Schaafe halten
könnte, keine Ursache einen Tausch zu versuchen. Bei
dem doppelten, dreifachen Aufwand an Futter hält den
Engländer der hohe Fleisch-Preis schadlos, in Deutschland aber können wir nur jährlich auf 1 Lamm mehr,
und zuletzt beim Verkauf des Alten nur auf das Drei-
fache des Preises eines unserer gewöhnlichen Schaafe
rechnen. Etwas anders ist es mit dem Besitzer in der
Niederung.

XX.

Bedingungen der besten Nußung einer Merinos-Heerde.

Wenn nicht die Nähe des Absatzes einer mittelfeinen
Wolle an inländische Fabrikanten ihre Erzielung mit
größerem Vortheil anräth, so ist es immer besser, hoch-
veredelte Schaafe für den Welthandel zu halten.

Man muß nur die Raffe zu wählen, und die
Schaaf-Wirthschaft gehörig einzurichten wissen. Das
richtige Verhältniß zwischen den Vorräthen der Nahrung
an Weide und Futter und der Kopf-Zahl zu treffen, ist
die erste Aufgabe für einen Wirthschafter. Es bedarf
keiner großen Rechnungs-Anlage, um zu übersehen, auf
welche Seite sich der Erfolg einer angemessenen Ernährung hinwendet. Mancher Besitzer, welcher den Anfang
mit einer kleinen Heerde machte, vergleiche doch einmal
den Woll-Ertrag derselben mit dem Ertrage der später
vergrößerten Heerde. Wenn ihm die ersten 150 Stück
3 Centner Wolle und starke Lämmer brachten, so wird

er nach einigen Jahren dasselbe Verhältniß schwerlich wieder finden.

Angeborne Schwächlichkeit und kärglicher Unterhalt machen das Thier weit weniger empfänglich für weniger verdauliche oder ungewöhnliche Nahrung, aber empfind= licher gegen nasse Weide und Kälte, es mag von ge= meiner Art oder hoch veredelt sein. In diesen Fällen ist auch die Sterblichkeit in den Heerden größer. Nach= baren, deren Schaafzucht in ähnlichen Verhältnissen steht, übrigens in der Kräftigkeit der Thiere und dem Unterhalt von einander verschieden ist, können nach dem Eintritt widerwärtiger Fälle am ersten Beobachtungen darüber anstellen, unter was für Umständen die eine Heerde vor der andern weniger gelitten hat.

Schwäche gebiert wieder Schwäche. Bei einer schwierigen Aufzucht, wo der größere Theil des Zuwach= ses immer wieder zu Grunde geht, bestehen die Haupt= Heerden größtentheils aus älteren Individuen, welche sich vor den übrigen gleichzeitigen durch einen festeren Körperbau ausgezeichnet haben. Indem sie aber so lange benutzt werden als es gehen will, so ist eine solche Heerde allen Unbequemlichkeiten und Bedürfnissen in Bezug auf Ernährung und Pflege beim Lammen und Säugen unterworfen, und die Mutterheerde bringt in diesem Falle trotz ihrer angebornen Ausdauer dennoch Schwächlinge zur Welt, und läßt keine Ueberzahl ent= stehen. Dadurch fällt aber die Nutzung enier Heerde um so geringer aus. Was eine richtige Stellung der Kopfzahl zur Nahrung thut, zeigt folgendes einfache Beispiel. Die eine Heerde zählt 1000 Köpfe, und dar= unter 300 Mutterschaafe. Bei einem kärglichen Unter= halt werden jährlich 1500 Pfd. Wolle und 100 Ueber= zählige gewonnen. Die andere Heerde enthält nur 700

Köpfe und darunter 240 Mutterschaafe. Bei gleichem
Unterhalt, welchen jene 1000 Stück zusammen genießen,
und der hier ohne Abzug auf die andern 700 verwandt
wird, giebt diese letzte Heerde 1575 Pfd. Wolle und
200 Ueberzählige. Dies ist ein Erfahrungs-Satz. Und
nun welche Verschiedenheit noch in den Nebenumständen!
Bei der Schaafhaltung dreht sich die wirthschaftliche
Frage, wie bei jedem andern Unternehmen um das Verhalten des Ertrages zu den Kosten, und nicht um die
Größe der Stückzahl. Im Gegentheil jede unnöthige
Steigerung derselben vermehrt noch die Unkosten, abgesehen vom Unterhalt.

Wie sehr erleichtert nicht eine zweckmäßige Ernährung das Lammen und das Annehmen der Lämmer, aber
welche Last und Kosten im entgegengesetzten Fall! und
welcher Unterschied in Rücksicht des Gesammt-Ertrages
einer Heerde, wenn eine verhältnißmäßige Ueberzahl vorhanden ist! Durch diese können bei billigen Preisen die
Zinsen des Anschaffungs-Kapitals zum Theil oder ganz
gedeckt werden, während ein anderer Besitzer dieselben vom
Wollertrag abziehen muß. Je größer aber die Ein-
schränkung des Unterhalts und der Pflege unter das
Gehörige herab, desto größer der Verlust, indem alsdann von Ertrag nicht mehr die Rede sein kann.

Diejenigen Länder, welche von der Schaaf-Haltung
den größeren Nutzen ziehen werden, werden auch die
Wolle um den geringsten Preis, sobald es darauf an-
kömmt, feil stellen können.

XXI.

Ohngefähres Verhalten der Merinos-Woll-zucht in Europa.

Einige Annäherung an das Wirkliche läßt sich in diesem Versuch nicht erwarten, besonders, da die statisti-
sche Uebersicht dieses Zweiges bei den Engländern selbst fehlt.
Nehmen wir für Deutschland, Preußen,
  Oesterreich und Ungern . . . . 21 Millionen
Schaafe an,
  für Frankreich . . . . 6 —
  für England . . . . 20 —
  und für die übrigen europäischen Staaten 12 —
           so bekommen wir 59 Millionen
Schaafe, und mit Neusüdwallis als außer-
  Europäisch . . . . 1 —
           60 Millionen.

Das Verhältniß der Ausfuhr zwischen Deutschland
mit Einschluß Ungerns und Spaniens hat sich seit den
letzten 20 Jahren sehr zum Nachtheil des letzten geändert:
1814. Ausfuhr
  aus Spanien
  und Potugal 9 Mill. Pfd.; aus Deutschland 3¼ Mill.
1832. . . . . . 3¼ = = = — 33¼ =
Bekanntlich begreifen die Engländer alle Wolle, welche
aus Deutschen Häfen ihnen zugeführt wird, unter dem
Namen Deutscher Wolle.

XXII.

Ohngefähres Verhältniß der im Königreich Preußen erzielten Wollgattungen aller Art.

Merinos.

Gemeine Landwolle.   Mittelfeine Wolle.   Feine Wolle.

$\frac{7}{8}$ $\frac{3}{8}$ $\frac{2}{8}$

Der 12jährige Durchschnitts=Preis von 1821 bis 1833 war folgender:

47⅓ Rthl.   80 Rthlr.   110 Rthlr.

XXIII.

Ueber die Grundlagen der Wollpreise.

Die Preise der Wolle hangen im Allgemeinen von dem Verhältniß des Verbrauchs zu ihrer Erzeugung, demnächst in jedem besonderen Fall von dem Verhältniß des Begehrs zu den Vorräthen, und endlich von der Lage der Parteien als Produzenten und Consumenten ab.

Die Production kann sich absichtlich und unabsichtlich verändern.

Eine freie Vermehrung geht außerordentlich schnell

vorwärts. Nach 4 Generationen z. B. steigt ein weib=
licher Stamm von 100 Stück Höhenschaafe nach Ab=
zug von 20 Prozent jährlich auf 631 Stück gleichen
Geschlechts, bei 15 Prozent auf 714, bei 10 Prozent
auf 950, und bei 5 Prozent Verlust auf 1235 Mutter=
schaafe. Ja nach dem Zulassungs=Alter von 1½ oder 2
Jahren beträgt die Dauer der 4 Generationen 14 oder
18 Jahre.

Aber auch bei einem geschlossenen Etat können noch
bedeutende Vermehrungen stattfinden, nämlich durch
einen größeren Aufwand an Nahrung; durch längere
Beibehaltung eines Theils der sonst Ueberzähligen; durch
Vermehrung der Zuzucht von diesen Ueberzähligen, end=
lich durch Zulassung der Jährlinge um 1 Jahr früher,
wenn sie bis dahin erst im Alter von 2½ Jahren zuge=
lassen würden, vorausgesetzt, daß die wirthschaftliche
Einrichtung eine solche Veränderung in der Nahrungs=
Verwendung erlaubt; so daß in einzelnen Heerden der
jährliche Woll=Ertrag sich um $\frac{1}{5}$ — $\frac{1}{4}$ leicht vermehren
kann. Nehmen wir den Bestand eines Landes auf 12
Millionen Schaafe, und darunter nur den dritten Theil
der Wirthschaften an, bei denen eine solche Vermehrung
möglich wäre, so hätten wir in einigen Jahren leicht
1 Million Schaafe, also 2 Millionen Pfund Merinos=
Wolle mehr.

Auf die entgegengesetzte Weise und in einem höhe=
ren Grade kann eine Minderung der Woll=Erzeugung
entstehen. Denn zu einer absichtlichen Veränderung des
Unterhalts und der Stückzahl der Heerden können durch
jahrelange ungünstige Witterung und gewaltsame Auf=
lösungen derselben unberechenbare Verluste hinzutreten,
welche die allgemeine Woll=Production nach wenigen
Jahren auf $\frac{1}{4}$ oder $\frac{1}{5}$ leicht herabsetzen können. Und

eine vorübergehende allgemeine Verminderung ist immer leichter zu erwarten, als eine Vermehrung.

Auf erlittene nachtheilige Veränderungen strebt indessen der Besitzer immer wieder nach der Wiederherstellung eines angemessenen Gleichgewichts seines Schaaf-Bestandes zur Wirthschaft, indem er denselben nicht allein um der Wolle willen hält, und beim gewöhnlichen Gang der Sache schwebt die jährliche allgemeine Wollerzeugung eines Landes zwischen 5 und 10 Prozent auf und ab.

Die Consumtion wollener Waaren wird bedingt durch Klima, Verfassung, Sitten, Staats=Bedürfnisse und Erwerbs=Vermögen eines Volks.

Vergebliche Hoffnung, einen eben anwachsenden Staat oder ein neuentdecktes Volk ohne Tausch=Vermögen als einen unausfüllbaren Canal von Bedürfnissen zu betrachten, so lange man jene Fundamente aller Consumtion von denselben noch nicht kennt.

Vorübergehend wirken auf das allgemeine Bedürfniß wollner Waaren anhaltende Erscheinungen in der Temperatur und Rüstungen; bleibender dagegen die Sitten und das Erwerbs=Vermögen eines Volkes.

In Zeiten eines allgemeinen Drucks z. B. ist es keine Kleinigkeit, wenn bei 20 — 30 Millionen Wolle tragender Menschen ein Kleidungs=Stück, welches bisher alle 4 oder 3 Jahre erneuert wurde, um ein Jahr länger aushalten muß.

Es ist aber leicht anzunehmen, daß die allgemeine Consumtion wollener Waaren sich jährlich eben so wohl, als die Production um $\frac{1}{7}$ erhöhen oder erniedrigen kann.

Treffen nun von beiden Seiten gleichzeitig entgegengesetzte Veränderungen zusammen, so kann das Verhältniß der augenblicklichen Vorräthe zum Bedarf sehr hoch zu stehen kommen, So geben z. B. $\frac{2}{7}$ Wolle mehr und ⅞ Bedarf weniger einen Ueberschuß an Vorräthen von 50 Prozent über den Bedarf.

Mit der Consumtion wollner Waaren hält aber der Begehr nach Wolle nicht immer gleichen Schritt. Je größer die Entfernung ihrer Bestimmungs=Oerter ist, desto unbestimmter ist für die Waarenhändler der Ein=gang der Nachrichten und der Rimessen, folglich auch das Vermögen und der Entschluß der von jenen abhan=genden Fabrikanten und Wollhändler, von neuem zu kaufen. Jeder Woll=Ankauf beruht in der Regel nur auf der Wahrscheinlichkeit des weiteren Bedürfnisses. Aus den bisher angegebenen Gründen ist es also nicht möglich, daß die Wollpreise sich eine Zeitlang auf glei=cher Stufe erhalten können.

Man hat es versucht, für die Wende=Punkte des Steigens und Fallens der Wollpreise bestimmte Perio=den zu ermitteln, ohne zu bedenken, daß die Beschlüsse der Cabinete über Krieg und Frieden und ihre Verfü=gungen über Ein= und Ausfuhr nach Ablauf der Trac=taten an keine Zeit mehr gebunden sind. Eben so we=nig besondere Ereignisse im Geld= und gemeinen Ver=kehr. So hat das Jahr 1825, wo die Südamerikani=schen Anleihen zum Theil in Waaren negoziirt wurden, mit den Jahren 1818 und 1833 Nichts gemein.

Wolle ist nur ein Theil eines Fabrikats. Daher, wenn andere Hülfsstoffe im Preise steigen, so äußert eine solche Erscheinung ihren Einfluß umgekehrt auf die Wolle bei gleichbleibenden übrigen Verhältnissen.

So wenig die Consumtion in den verschiedenen Gattungen der Wollenwaaren gleichen Schritt hält, so wenig kann dies auch mit dem Begehr in den verschie=denen dazu gehörigen Wollgattungen der Fall sein. Die eine wird vor der andern gesucht.

Wohl aber äußern die Preise verwandter Wollgat=
tungen, die sich gegenseitig ersetzen können, einen gegen=
seitigen Einfluß. Die Erniedrigung der einen drückt
auch die andere, und die Erhebung der einen zieht auch
die andere nach sich.

Die Preise einer Gattung Wolle können sich nicht
zu einer Zeit allenthalben gleich sein. Die Concurrenz
wirft sich bald hier, bald dahin stärker.

Es ist vielseitig die Frage aufgeworfen worden,
was für einen Nutzen Märkte eigentlich gewährten. Die
Entscheidung darüber ergiebt sich aus folgendem Für=
undwider.

Durch öffentliche Märkte werden Käufer und Ver=
käufer in den Stand gesetzt, das Verhältniß des Be=
gehrs zu den Vorräthen, der Kauflustigen zu den Be=
sitzern besser zu übersehen, und Forderungen und Ange=
bote zu erfahren. Ohne Märkte dagegen wissen beide
Theile nicht so zuverlässig, was sie fordern oder bieten
sollen. Der Eine oder der Andere kann sich dadurch
eine gute Gelegenheit verscherzen.

Der Käufer für sich genießt durch die Märkte den
Vortheil, daß er nicht auf das Ungewisse reisen darf,
um zu sehen, ob die Wolle noch vorhanden ist, ob Gat=
tung, Beschaffenheit und Menge ihm genügen. Dieser
letzte Umstand kömmt besonders den Kleinfabrikanten zu
statten. Auf dem Markte dagegen hat er, je häufiger
derselbe besetzt ist, in jeder Beziehung freie Wahl. Nur
muß er diese etwas theurer bezahlen. Dagegen vermei=
det er unnöthige Reisekosten und das Rißko, seinen Be=
darf nicht mehr zu finden. Der Besitzer der besseren
Waare hat dagegen den Vortheil des prompteren Ab=
satzes und des höheren Preises. Nur schlechtere Wolle
ist in Gefahr, weit niedriger bezahlt zu werden oder gar

liegen zu bleiben. Dafür hat aber auch ein Jeder, der noch zurück steht, die besseren Muster vor Augen. Außerdem riskiren die Besitzer ganzer Striche nicht mehr übergangen zu werden, was besonders Einzelnen widerfahren kann, wenn Speculanten in einem gewissen Bezirk stellenweise aufkaufen, und nun das Gerücht verbreiten, es sei in der ganzen Gegend Nichts mehr zu haben. Auch unterliegen einzelne Schäfereien nicht mehr einem nachtheiligen Gerücht. Ohne Märkte wird am Jordan Alles schlecht gemacht, was daselbst wächst, Alles vom Phrat aber gelobt, und so umgekehrt. Die Beschaffenheit einzelner Schäfereien wird unterdrückt gehalten, wenn nicht gar verschrien, sei es nun um Concurrenten abzuhalten, oder weil man die Wolle nicht auf das Angebot hingeben wollte.

Nur einen Nachtheil haben Märkte, welcher bald die eine, bald die andere Partei trifft. Dieser besteht in dem Einfluß der Masse der Concurrenten auf jedes einzelne Glied, wenn sich die Menge in Trab setzt, entweder zu kaufen oder zu verkaufen. Der dadurch entstehende Schaden gleicht sich bei denen, welche ihn überstehen können, durch den Wechsel der Umstände wieder aus.

Der Märkte dürfen nur nicht gleichzeitig zu viel oder zu wenige sein, und sie müssen leicht erreicht werden können. Sind ihrer zu viele, so schwankt der Besuch bald hier, bald dorthin. Sind ihrer zu wenige, und ist die Entfernung zu groß, so kommen die entlegensten Besitzer am schlimmsten davon.

Bei schwächerem Begehr haben es die Frühmärkte in der Regel am besten; bei stärkerem aber die Spätmärkte.

Bei zu hohen Preisen einer Gattung Waare wird

diese verlassen und eine andere ergriffen. Mit einer solchen Veränderung wechselt auch das Bedürfniß in den
verschiedenen Wollgattungen. Und da bei jeder verschiedenen Zeug=Art auch die Fabrik=Einrichtungen verschieden sind, so läßt sich nicht so leicht eine Aenderung auf
Speculation darin treffen. Das Bedürfniß unter den
verschiedenen Wollgattungen kann sich also auf lange
Zeit hin verändern. Ist Tuch zu theuer, so wird Halb-
tuch oder glattes ungewalktes Zeug getragen. Sollten
die Engländer hierin die Oberhand behalten, so würde
es um einen großen Theil unserer Tuchmanufakturen
und Merinos=Schäfereien geschehen sein. Eine Umwandlung beider auf dem Festlande würde jenen aber sehr
erwünscht sein, indem nur auf den wenigsten Stellen
desselben Langwolle erzielt werden kann.

XXIV.

Vorgänge vor den Woll=Märkten von 1834.

Das vorhergehende Jahr schloß mit einigem Sinken
der Woll=Preise auf der November=Messe zu Frankfurt
an der Oder. Das gleichzeitige Contrahiren auf die
nächste Schur zu höheren Preisen der mittelfeinen Wolle,
als je zuvor erhöret war, ist bekannt. Ohne Zweifel
sah man schon das künftige Verhältniß zwischen den zu
erwartenden Vorräthen aller Gattungen zu dem Bedarf
im Voraus ein. Längs dem schwarzen Meere und den

südlichen Küsten des mittelländischen hatten Kriege, und im nördlichen Europa ungünstige Witterung mehrerer Jahre die Heerden vermindert, Rüstungen die Vorräthe weggeräumt, und neue Speculationen warteten nach der Beschränkung der Englisch = Ostindischen Compagnie auf neue Unternehmungen nach Asien.

In der Neujahr-Messe zu Leipzig wurden ziemlich große Partien wollner Zeuge für Amerika gekauft.

Von den Fürstlich = Esterhazyschen Gütern war die Wolle von 190,000 Köpfen zu dem Preise von 120 Thlr. Cour. verkauft, auf 19 Stück 40 Pfd. Wolle gerechnet, und die von den Herrschaften des Erzherzogs Carl schon auf 1835 verkauft.

In Ostpreußen war fast kein Centner mehr zu haben. Die Jagd nach dieser Wolle von der Weichsel an bis zur Memel war schon im November so groß, daß ein Käufer allein 70 Unterhändler ausgesandt haben soll. Schon im Februar galt die Englische Langwolle zu London, anstatt sonst ¼ Schilling, jetzt 2 Schilling. Dieses Steigen war mit eine Folge der Freigebung der Ausfuhr dieser Wolle aus England.

Auf der Februar = Messe in Braunschweig wurden alle reichen Tuchlager geleert, doch noch zu keinen der Wolle angemessenen Preisen.

Im März, auf der Messe zu Frankfurt an der Oder, ging das ordinäre Tuch gut ab, die übrigen Sorten aber weniger, weil bekanntlich im Laufe des Winters ohne bringende Umstände keine großen Reisen unternommen werden. Dagegen wurde von 4000 Centner Wolle vieles, und zu hohen Preisen verkauft.

Um dieselbe Zeit kam noch viele Wolle aus Oesterreich nach Leipzig, wo die Wollsortirer unbeschäftiget waren, wie öffentliche Blätter meldeten.

Zu Hückeswagen, einem der berühmtesten Fabrik= Oerter im Kreise Düsseldorf, wurde viel Tuch aufgekauft. Dieser Umstand und der günstige Ausgang der Messe zu Braunschweig veranlaßten eine lebhafte Thätigkeit der Fabriken.

In der Jubilate=Messe zu Leipzig war der Absatz besonders in Mitteltuch nach Italien bedeutend. In den übrigen Sorten aber zeigte sich der Begehr schwach. Man erwartete niedrigere Wollpreise, die dann auch ein= traten.

Während der Ostermesse zu Frankfurt am Mayn fanden zwar gar keine Woll=Verkäufe statt, allein es zeigte sich nachher, daß der ganze Vorrath von 1500 Ballen zu unpreiswürdig gewesen war.

In Spanien hatten die Franzosen schon die Wolle auf den Dörfern aufgesucht.

XXV.

Zu Markt gebrachte Wolle im Jahr 1834 mit Einschluß unbestimmter verkaufter Partien.

(Laut öffentlichen Nachrichten.)

Im Frühjahr		Quanti-täten.	Davon blieben unverk.
Bautzen		1,200	400
Dresden		9,000	1,500
Dessau		1,500	200
Würtemberg		10,700	
Weimar		2,500	
Mecklenburg.			
Braunschweig.			
Preußen. Magdeburg . .	8,000		2,000
Stettin	21,000		1,200
Breslau	44,000		1,900
Berlin	35,000		4,000
Stralsund . .	1,200		800
Thür. Mühlhausen .	1,000		
Königsberg .	4,200		
Centner.		114,400	114,400

Anmerk. Die Angabe von Königsberg enthält ohngefähr ¼ von der in den östlichen Provinzen erzielten Quantität.

XXVI.

Durchschnitt der Woll=Preise von 1834.

Der Spielraum der Preise auf den Frühjahrs=Märkten war folgender:

gemeine Landwolle . . . . 42 bis 50 Thlr.
veredelte bis zur 1sten Quantität
Merinos=Wolle von . . . . 65 — 130 Thlr.

Das Ganze in 3 Abtheilungen angenommen theilten sich die Preise so ein:

65 — 87.   88 — 110.   111 — 130 Thlr.

für geringer veredelte; höher veredelte; feine Merinoswolle.

Ausgang der Wollmärkte außer Deutschland.

Auf dem Pesther Johannis=Markt ging die Mittel=Wolle gut ab, die feinere weniger. Dasselbe war auch der Fall auf dem August=Markt, wo eine Masse von 70,000 Cent. zusammen war.

Die ordinären und mittlen Sorten gingen so ziemlich zu den früheren Preisen weg, die feineren aber erlitten eine Erniedrigung von 20 bis 25 Prozent und blieben zum Theil liegen.

Zu Pawlowsk (in öffentlichen Blättern stand Petropawlosk), Gouv. Woronesch, kamen 21,000 Pud à 40 Pfd. zusammen und wurden zu 27 bis 53 Rubel, also 100 = 30 — zu 24 bis 48 Thlr. Cour. der Centner verkauft.

———

XXVII.

Vorfälle nach den Woll-Märkten von 1834.

Nach den Wollmärkten liefen die Deutschen Sommer= und Herbstmessen für die Tuchmanufakturen gut ab.

In Frankfurt an ber Ober fand bas Mitteltuch, in Braunfchweig alle Tuchlager ber Fabriken aus bem Regierungs=Bezirk Düffeldorf rafchen Abfatz. Auf ber verwichenen Michaelis=Meffe zu Leipzig wurbe fchou in ben erften Tagen von Tuch Alles weggeräumt. In ber Fabrikftabt Hückeswagen bes genannten Bezirks wurben bie Lager felbft aufgefucht.

Die Thätigkeit ber Fabriken wurbe bemnach fort= während unterhalten, wozu bie Freigebung bes Deutfchen Binnen=Handels ebenfalls bas ihrige beitrug.

In Burg glaubte man nicht mit ben Woll=Vor= räthen ausreichen zu können.

Daß fich im Laufe bes Sommers bas Verhältniß bes Bedarfs an Wolle zu ben Vorräthen nicht anbers geftellt, fonbern eher gefteigert haben mochte, bewiefen bie letzten Wollmärkte im Oktober. In Brieg wurben 80 Centner zweifchürige Wolle im Durchfchnitt zu 67 Thlr. verkauft. Im vorhergehenden Jahre war ber Preis fogar 76 Thlr. gewefen. In Bautzen kamen 2789 Stein à 22 Pfb. zu Markt, unb 410 Stein blieben nur übrig.

In Breslau fanben fich 19800 Centner, barunter ge= gen 5000 Centner inländifche, bie übrige ausländifche Wolle zufammen, worunter gemeine Wolle mit 48 bis 53 Thlr., bie ein= unb zweifchürige verebelte aber mit 65 bis 75 Thlr., unb hochfeine zweifchürige mit 80 bis 85 Thlr. bezahlt wurbe. Wie viel bavon unverkauft geblieben war, war noch nicht bekannt.

Es ift zweifelhaft, ob nach bem allgemeinen Ver= luft ber Heerben burch bie früheren naffen Jahre, wel= chem jebes Land unterlag, im laufenben Jahre in ber Königl. Preuß. Monarchie mehr als 10 Millionen Schaafe überhaupt zur Schur gekommen fein mögen.

Ihr Woll=Ertrag, zu 2 Pfund angenommen, würde sich demnach auf 20 Millionen Pfund belaufen. Davon sind in diesem Jahre gegen 120,000 Centner oder etwas über 13 Millionen Pfund öffentlich abgewogen worden.

Nach einem mehrjährigen Durchschnitt der letzten Zeit betrug die Ausfuhr an inländischer Wolle gegen 45000 Centner oder ohngefähr 5 Millionen Pfund, und 15 Millionen Pfund Wolle kämen demnach auf den inländischen Verbrauch.

XXVIII.

Einige Bemerkungen über die jetzigen Klassen der Käufer.

Blicken wir einige Jahre zurück, so stellen sich uns unter den Klassen der Käufer bedeutende Veränderungen dar. Bei den so großen Kapitalien, welche in gegenwärtiger Zeit die verbesserten Fabrik=Anlagen kosten, war der Verfall der Tuchmacher=Gewerke und Wollen=Zeug=Fabrikanten auch neben einer Kratz= und Spinnmaschine unvermeidlich. Sie arbeiteten immerhin theurer, und stellten ihre Fabrikate nicht in der Vollkommenheit dar, und blieben außerdem vom Walker, Färber und Bereiter noch abhängig. Die Klein=Fabrikanten in den Marken und Schlesien werden dies so sehr empfinden, wie im Großherzogthum Posen, in Westpreußen und Hinter=Pommern die noch übrig gebliebenen in Zamoczin, Lapuschin, Callies, Neudamm, Tempelburg, Falkenburg, Jastrow, Bischofswerder, Riesenburg, Deutsch=Eylau, und in Ostpreußen Preuß.=Eylau u. m. a. In Frankreich haben sich die Fabrikanten in Elbeuf von 600 auf 400, in Louviers seit 3 Jahren um $\frac{2}{3}$, in Sedan um die Hälfte vermindert.

In Nord=Amerika löfete sich neulich die größte Tuch=Manufaktur in Neuhampshire auf; 423 Arbeiter wurden außer Brod gesetzt.

In dem Verhältniß, als sich die Zahl der Fabrikanten vermindert, scheint sich die Zahl der Zwischenhändler im Wollfache vermehren zu wollen. Im Jahr 1831 erschienen auf dem Breslauer Markt 107 Großhändler, darunter 29 Engländer und 2 Nord=Amerikaner, und 314 Groß= und Klein=Fabrikanten. In diesem Jahre dagegen 193 Groß=Händler, darunter 42 Engländer, 340 Fabrikanten, aber auch noch 3 jüdische Kaufleute aus Oesterreich, 55 aus Schlesien und 199 aus dem Großherzogthum Posen.

In Berlin waren gegen 8 bis 10 tausend Centner Wolle in zweiter Hand.

Der Wollverkehr dürfte in wenigen Jahren eine Veränderung erleiden, wenn für die Hauptstraßen Dampfwagen erlaubt werden sollten, welche nach den Angaben der Engländer eine doppelte Last in der Hälfte der Zeit um geringere Kosten fortschaffen. Entlegenere Schäferei=Besitzer würden alsdann mit den Fabrikanten leichter in unmittelbare Verbindung treten können, die Märkte häufiger besucht werden, und die Fabrikanten freiere Wahl haben.

XXIX.

Aussichten auf das nächste Schur=Jahr.

Der Gang des Wollhandels im laufenden neuen Schur=Jahr läßt sich unter gleichbleibenden allgemeinen Um=

ständen ziemlich wahrscheinlich voraussehen, auch wenn
der Bedarf nicht weiter steigt. Es ist nämlich gewiß,
daß im laufenden Schur=Jahr nicht so viel Wolle erzeugt werden kann, als das vergangene lieferte. Es
fehlt allgemein an zureichendem Futter, und bis zur
Schur werden in den minder sorgfältig gehüteten Heerden
in Folge des Weide= und Wassermangels noch große
Verluste entstehen, indem in Rücksicht des letzten faule
Wasser=Tümpel, worauf das durstige Thier zueilt, bekannt=
lich eher schaden, als nasse Weiden.

In Schlesien gab man schon diesen Herbst Schaafe
in Futter.

In der Gegend von Bjalystock waren bereits Krank=
heiten ausgebrochen.

In Böhmen und Mähren, in der Gegend um Wien,
im südlichen Deutschland, in Curland, besonders aber in
Neu=Rußland und in der Krimm herrschte ebenfalls
Futternoth.

Trotz dieser Umstände läßt sich über die Preise,
wie sie sich gegen die Schurzeit stellen können, noch
Nichts mit Wahrscheinlichkeit vermuthen. Die Preise
der Dinge hangen jetzt von mehreren Einwirkungen ab,
als vordem. Gegenwärtig werden die beträchtlichsten
Fonds so schnell aus ihrer Bestimmung zurückgezogen,
als sie darauf verwendet wurden; Banken lassen Millio=
nen ausfließen, und ziehen sie nach Gutdünken wieder
ein. Dadurch entstehen dann Hemmungen im Betrieb,
gegenseitige Credit = Verweigerungen und Fallissemente.
Ein tausend Centner Wolle aus einer Concurs = Masse
irgendwo kurz vor der Schurzeit zur Auction gebracht,
können auf die Preise aller Märkte Einfluß haben.

Seitdem ich den vorhergehenden Aufsatz niederge=
schrieben hatte, verbreitete sich in Folge der vielen Fal=

lissemente im Wollhandel unter den Produzenten die Besorgniß über allzutiefes Sinken der nächsten Wollpreise, welches Viele derselben noch bereitwilliger machen dürfte, auf die von allen Seiten her ertönenden Aufmunterungen ihre Merinos-Heerden aufzugeben, und sich der Erzielung einer Kämmwolle zu befleißigen, gleichviel ob vermittelst einer veredelten Merinos- oder Niederungs-Rasse, woraus dann für die National-Wirthschaft die Folgen entspringen würden, daß die Tuchfabrikation in Rücksicht der Wolle, die Zeugfabrikation aber in Rücksicht des Absatzes ihrer Waare mehr vom Auslande abhängig würde. So wie aber gegenwärtig noch das Verhältniß der inländischen Tuchfabrikanten zu den Woll-Produzenten steht, könnten sich nur solche von den letzten zu jener Umsattlung entschließen, welche selbst nicht rechnen könnten, vorausgesetzt, daß sie nicht Crethi und Plethi, sondern eine echte Merinos-Heerde schon besitzen, oder in kurzer Zeit dazu gelangen können.

Wenn auch England die Markt-Preise der Merinos-Wolle nicht mehr allein, sondern neben den inländischen Fabrikanten nur mit dirigiren hilft; so beherrscht es doch den Preis der Kämmwolle bis jetzt in ganz Europa noch allein, indem es erstlich unter allen Ländern die größte Anzahl dieser Schaafe, größtentheils mit der ausgesuchtesten Wolle, vielleicht mehr als 20 Millionen, wegen der Mast auf das zweckmäßigste unterhält, und die Landwirthe nicht nöthig haben, ihre Rente allein auf den Werth-Ertrag der Wolle zu setzen. Daher ist auch in England keine Woll-Art dem Wechsel des Preises mehr ausgesetzt als diese. Der Durchschnitt desselben war im vergangenen Jahre 1833 1 Schilling 5 Pence, oder nahe 14⅔ Silb. Groschen das Pfund. Allerdings blendet das Geschrei über das Wollgewicht der Leicester

und ähnlicher Raffen, besonders wenn Ausnahmen her=
vorgezogen werden, allein der Durchschnitt deffelben ift
nur 7 — 8 Pfd. Ein Schaaf · giebt also einen Brutto=
Ertrag von 3 Thlr. 24⅞ Sgr. jetzt, wo die Preife am
höchsten gestanden haben. Früher waren es nur 9 — 12
Pence. Man vergißt nur zu leicht bei der Verschrei=
bung solcher Schaafe des Rezeptes zu ihrer Befriedi=
gung. Uebrigens sind, wie schon früher auseinander=
gesetzt worden ist, dergleichen Berechnungen zu einseitig.
Bei kurzer Weide können Marsch=Schaafe nur auf dem
Stalle gehalten werden. In den Königl. Preuß. Lan=
den sind es nur die Beete der größeren Ströme, an
denen Marsch=Schaafe gehalten werden können, und
Gegenden, welche der Magdeburger Börde ähnlich sind.
Daß bei jenen Preisen blos veredelte Merinos=Schaafe
nicht rentiren würden, springt in die Augen. Höhere
Preise der Kämmwolle auf dem Festlande dürfen nicht
locken, indem wir hier den Fall einer künftig vermehrten
Production unterstellen müssen. Zudem bleibt die Er=
zielung einer Kämmwolle immer schwierig. Denn, in=
dem sie wenigstens das Doppelte der Durchschnitts=Länge
einer Tuchwolle erfordert, wirkt jede Nahrungs=Verän=
derung auf einen um so längeren Theil des Haares.
Endlich sind Wollen=Zeuge mehr der Moden=Laune un=
terworfen als Tuch.

Die Besitzer feiner Heerden beklagen sich zwar über
ein unverhältnißmäßiges Sinken der Preise im Vergleich
mit andern, darum aber haben sie noch nicht aufgehört,
wie wir gesehen haben, am besten zu rentiren, die ge=
hörigen Bedingungen vorausgesetzt. Auch gegenwärtig
sind die Aussichten noch nicht so schlimm, als Viele be=
fürchten. Zwar wird der Abschlag der Preise nicht ge=
ring sein; dies wird aber mehr die Mittelsorten treffen,

und zwar zum gemeinschaftlichen Besten der Produzenten und Consumenten in Hinsicht auf die Zukunft. Denn
nur noch einige Jahre solche enormen Preise: und der
größere Theil der mittlen Fabriken, des eigentlichen Kerns,
welcher für die Bedürfnisse des Staats und des Publi-
kums sorgt, und die Wollproduction im Staate hauptsächlich nährt, indem gegen ⅔ derselben auf vaterländi-
schem Boden verarbeitet werden, würde gesprengt sein,
und es würde zuletzt an Käufern fehlen. Daß eine bedeutende Erniedrigung für die mittlen Wollgattungen zu
erwarten steht, liegt in folgenden Umständen, wenn keine
neuen hinzutreten. Für's erste werden von den Märkten
entfernt bleiben die Verkäufer, welche nicht zur Klasse
der eigentlichen Zwischenhändler gehören, welche letzten
den Artikel aus der einen fernen Gegend der andern
überliefern und unter denen die Sortiments = Händler
die Hauptklasse ausmachen. Alsdann werden leider außer
einigen Zwischenhändlern auch mehrere Fabrikanten fehlen,
die, wenn auch ein jeder für sich noch so beschränkt, immer das Gewicht auf der großen Schale vermehren helfen;
ferner werden viele Großhändler von denen, welche bei Vermögen bleiben, dennoch vorläufig nur einen geringeren
Fond auf das Geschäft verwenden wollen. Auf der anderen Seite endlich wird mancher Produzent sich nicht
lange auf's Speculiren legen können, indem die gegenwärtigen Umstände der Landwirthschaft dieses nicht wahrscheinlich machen.

Diesen Voraussetzungen ungeachtet ist es höchst wahrscheinlich, daß sich das nächstkünftige Verhältniß des Begehrs zu den zu erwartenden Vorräthen, auch wenn diese,
was zu hoffen wäre, den diesjährigen gleichbleiben sollten,
dennoch günstig stellen wird. Die Hoffnung einer sich gleichbleibenden Schur müssen wir indessen aufgeben. Angenom-

men, daß, um. bei den K. Preuß. Staaten stehen zu
bleiben, volle 10 Millionen Schaafe zur Schur kämen,
so dürfen wir das Woll=Erzeugniß doch nicht höher, als
zu einem Centner auf sechzig Stück anzuschlagen wagen.
Unter dieser Voraussetzung würde das Ganze nur 170,000
Centner betragen. Rechnen wir für das Ausland auch
nur 30,000 Cent. davon ab, so blieben demnach für den
inneren Verbrauch nur 140,000 Cent. übrig, und die Dif=
ferenz gegen das Jahr 1828 würde an 50,000 Centner
als so viel weniger ausmachen. Die Nachrichten über
den so bedeutenden Ausfall der Futter=Erndte in allen Euro=
päischen Ländern haben sich seitdem immer mehr bestätiget.

Dennoch ist es ein Glück für die Produzenten und
die übrigen Wollhandlungen, daß die Fallissemente nicht
kurz vor der Wollschur ausgebrochen sind. Bis dahin
werden die Auctionen vorüber sein, und die Capitalisten
werden von den stehen gebliebenen Häusern eine be=
stimmte Uebersicht erlangt haben.

Was den Antheil der Engländer an den nächsten
Wollmärkten betrifft, so dürfte dieser immerhin gering
geblieben sein, wenn sich nicht schon jetzt ihr Wollhan=
del und ihre Fabriken wieder mehr belebt hätten. Denn
nach den eigenen Berichten derselben war die Einfuhr
des gegenwärtigen Jahres bis Ende August
größer gewesen, als die Einfuhr von 1833 um
dieselbe Zeit. Allein seit 2 Monat wurde außer
Wollenwaaren selbst Wolle in großen Partien nach
Nord=Amerika begehrt.

Da sich indessen die Engl. Fabrikanten, indem die
Vertheuerung der Wolle nicht von ihnen selbst ausging,
nur zu ihrem Bedürfniß mit Wolle versehen haben, und
bis zur Schur die besten Partien, wie gewöhnlich, wenn
auch zu niedrigeren Preisen vergriffen sein werden; so

haben wir immerhin Engl. Fabrikanten auf den Deutschen Märkten zu erwarten. Die unverkauft gebliebenen minder qualifizirten Vorräthe können ihnen auch um 50 Pct. billiger den Vortheil dort nicht gewähren, welchen sie hier bei einem Abschlag von nur 20 Pct. der letzten Preise bei frischer und guter Waare aus der ersten Hand oder auf Commissions-Lagern gesichert finden.

Die Wolljagd auf dem Festlande seit dem Oktober 1833 bis zum Februar 1834, besonders in den von den Märkten entlegensten Gegenden — der Strich zwischen der Weichsel und Memel ward der vorzüglichen Wolle wegen schon Ende November fast gänzlich geräumt — läßt sich aus dem einseitigen Grunde einer ausgedehnteren Speculation nach den anderen Welttheilen nicht wohl erklären. Denn auch Farbestoffe, Baumwolle und Seide wurden zu gleicher Zeit zu Zielpunkten gemacht, und die letzte in einem Augenblick, wo die Seidenwaaren im Preise sanken, auf 40—50 Prozent höher getrieben. Es hätte selbst nicht planmäßiger angelegt werden können, wenn irgend eine Verbindung die Absicht gehabt hätte, alle bei diesen Artikeln betheiligte Klassen in Unruhe, Verlegenheiten und Gefahr ihrer Subsistenz zu setzen. So aber dürfte nur anzunehmen sein, daß eine verfehlte Aussicht auf Krieg den ersten Anstoß dazu gegeben habe, und der Strom der Menge kennt keine andere Motive als Nachahmung. Indessen muß man aber auch gestehen, daß bei aller liberalen Publicität im Großverkehr kein Artikel mehr im Dunkeln gehalten wird, als gerade Wolle.

(Geschrieben im November 1834.)

Gedruckt bei E. Feister.